# 写给孩子的资治通鉴

星汉 编著
王辰 绘

4

石油工业出版社

图书在版编目（CIP）数据

写给孩子的资治通鉴. 4 / 星汉编著；王辰绘. —北京：石油工业出版社，2023.2
　　ISBN 978-7-5183-5587-7

Ⅰ.①写… Ⅱ.①星…②王… Ⅲ.①《资治通鉴》—青少年读物 Ⅳ.①K204.3-49

中国版本图书馆CIP数据核字（2022）第168892号

写给孩子的资治通鉴4

选题策划：李　丹
责任编辑：李　丹
出版发行：石油工业出版社
　　　　　（北京市朝阳区安华里二区1号楼　100011）
网　　址：www.petropub.com
编 辑 部：（010）64523581
图书营销中心：（010）64523649
经　　销：全国新华书店
印　　刷：三河市嘉科万达彩色印刷有限公司

2023年2月第1版　　2023年2月第1次印刷
710毫米×1000毫米　　开本：1/16　　印张：10
字数：80千字

定价：29.50元
（如发现印装质量问题，我社图书营销中心负责调换）
版权所有，侵权必究

# 前言

　　《资治通鉴》是北宋史学家司马光历时19年，主持编撰的我国第一部编年体通史，记载了从战国至五代共1362年的史事。书中以时间为纲，以事件为目，纲举目张，时索事叙。为了做到叙述详备，司马光等人在编撰此书时，在每一事件中留下一段空白，以随时补充材料，然后再考证异同，删除烦冗。因此，此书清晰地记述了历史重大事件的前因后果，以及事件发生的环境，使读者能够清楚地了解事件的发展过程，而无突兀之感。

　　完成此书后，司马光将其上呈神宗皇帝。神宗皇帝给予了高度评价，称"鉴于往事，有资于治道"，于是此书定名为《资治通鉴》。

　　司马光以为统治者提供借鉴为出发点，希望统治者能够以前世的兴衰为鉴，考证当今为政得失。然而，此书的功效绝非仅仅于此，它甚至可以帮助人们修身、齐家、治国、平天下，宋末元初的学者

胡三省就评价此书说："为人君而不知《通鉴》，则欲治而不知自治之源，恶乱而不知防乱之术；为人臣而不知《通鉴》，则上无以事君，下无以治民；为人子而不知《通鉴》，则谋身必至于辱先，作事不足以垂后。"

《资治通鉴》是司马光等人从17本正史以及野史、谱录、别集、碑志等书籍中，辨别异同，存是去非，因此有极高的史料价值，在我国史学界占有极为重要的地位。该书内容以政治、军事和民族关系为主，兼有经济、礼乐、历数、天文、地理和历史人物评价，博大精深，详略得当。

正因为《资治通鉴》体大思精，导致少年读者不可骤然全得，只当"如饮河之鼠，各充其量而已"。为此，我们特意编撰了这套《写给孩子的资治通鉴》，将其中的精彩内容直观地呈现出来，希望能引导读者们更方便地"饮水"。

原著在叙述历史事件时不可避免地将一件事的来龙去脉分散地列在不同的时间下，使得事件的叙述不够连续。为了聚拢线索，我们将原本在原著中分散的故事或人物串联起来，并加入一些相关知识介绍，让读者更系统地感受到这部历史经典的魅力。

# 目录 MU LU

宋武帝刘裕 / 001

元嘉之战 / 007

自毁长城 / 012

钟离之战 / 016

陈庆之伐魏 / 022

侯景之乱 / 027

无忧天子高纬 / 033

隋文帝灭陈 / 039

瓦岗起义 / 043

玄武门之变 / 048

贤后辅明君 / 054

房谋杜断 / 058

谏臣魏徵 / 062

一代女皇 / 068

贤相狄仁杰 / 074

姚崇和宋璟 / 078

安史之乱 / 084

名将郭子仪 / 090

李光弼智守太原 / 095

张巡死守 / 100

李泌单骑入陕 / 106

刘晏理财 / 112

中兴名臣裴度 / 118

牛李党争 / 124

甘露之变 / 128

黄巢起义 / 133

朱温篡唐 / 140

"五代第一明君"
周世宗 / 146

# 宋武帝刘裕

**宋**武帝刘裕出身平民，刚生下来母亲便死了，由姨母抚养成人。他年轻时就有鸿鹄之志，但识字不多，仅靠贩卖鞋子维持生计。后来，他投身东晋军队，成了一个下级军官。

当时，东晋的统治已经腐朽，周围的世家大族都蠢蠢欲动，计划着取而代之。399年，野心勃勃的孙恩起兵反叛，朝廷派刘牢之前去镇压，刘裕也被征召。一次，刘牢之派他带领几十个人前去打探敌军的情况，不幸遇上一支近千人的敌军。刘裕毫无惧色，上前迎战，与刘裕同行的战士全部战死，刘裕因为跌入河涧而免于一死。但是敌军并没有打算放过刘裕，对他穷追不舍。刘裕越战越勇，斩杀几名敌兵之后登上河岸，又大声吼叫着追杀敌兵。敌军虽然人多势众，但是看见刘裕如此悍不畏死，都心生怯意，竟然尽数溃逃。

在军中等待消息的刘牢之见刘裕许久未归，亲自带

兵前去寻找。刘牢之赶到时,眼前的一幕让他震惊不已,只见刘裕单枪匹马追杀近千人的敌军,不由得感叹刘裕的英勇。因为此战,刘裕受到刘牢之的重用。

孙恩起兵反叛,大大削弱了东晋的势力,篡位未果的桓温死后,他的儿子桓玄趁机解除了刘牢之的兵权,矫诏任命自己为太尉,掌控国政,而后又逼迫东晋安帝禅位,正式称帝。刘裕审时度势,暂时投靠桓玄。

404年,刘裕号召四方讨伐桓玄,各地纷纷响应。桓玄见形势不利,便挟持晋安帝逃跑。刘裕坐镇京师,指挥人马追击桓玄,将其斩杀,迎晋安帝复位。安帝非常感激刘裕,让他全权处理朝中大小事务。

409年,刘裕上表请求讨伐南燕,多数大臣们都以为不可轻举妄动,但刘裕还是执意率兵前往。途中,刘裕下令将船舰、笨重的军用物资留下,而且所过之处都修筑城池,留下军队把守。有的将领担心这样分散兵力,深入敌国过于冒险,刘裕却很自信,认为燕人生性贪婪,没有长远的计划,进攻时只顾着多抢东西,后退时又吝惜粮食,以为东晋军队孤军深入而无法坚持,所以不会用心布防。

事情果然像刘裕所预料的,燕军因大意而被东晋军队打败。刘裕乘胜追击,活捉了南燕国主慕容超。就在这时,孙恩的女婿卢循乘刘裕北上攻打南燕、东晋空虚的机会，率军袭击东晋的都城建康。刘裕不得不停止北伐，领兵南归，迅速扑灭卢循的叛军，歼灭占据长江中上游的几股势力，使南方出现了百年未有的统一局面。

416年，刘裕率军攻打后秦，一年后灭掉了后秦。这时，好友刘穆之病故的消息传至军中。刘穆之是刘裕安排在朝中的心腹，刘穆之一死，刘裕担心朝廷局势发生变故，率军仓促南归，只留下十二岁的儿子刘义真留守刚刚攻下的长安城。大夏国得知消息后，待刘裕一撤兵就攻打长安，长安失陷，东晋军队损失惨重，刘裕辛苦取得的北伐成果毁于一旦。

418年，刘裕另立司马德文为帝。刘裕很希望司马德文能把帝位禅让给自己，但又无法启齿，便召集朝臣赴宴，在宴会上暗示自己的丰功伟业，并感慨自己年事已高，想要将爵位奉还皇上，好回家颐养天年。中书令傅亮明白刘裕的用心，并将刘裕的目的委婉地转达给了司马德文。司马德文心知其中利害关系，便于420年将帝位禅让给了刘裕。刘裕即位，改国号为宋，史称"刘宋"。

刘裕在生活上很是简朴，着装和住所都很朴素，也很少出游宴饮，就连后宫嫔妃也不多。他将自己全部的财产都放在国库里面，宫内没有任何私藏。岭南曾经进贡一种极其精细的布，刘裕认为这种布太过精美，耗费人力，就命人弹劾了岭南太守，并下令禁止岭南制作这

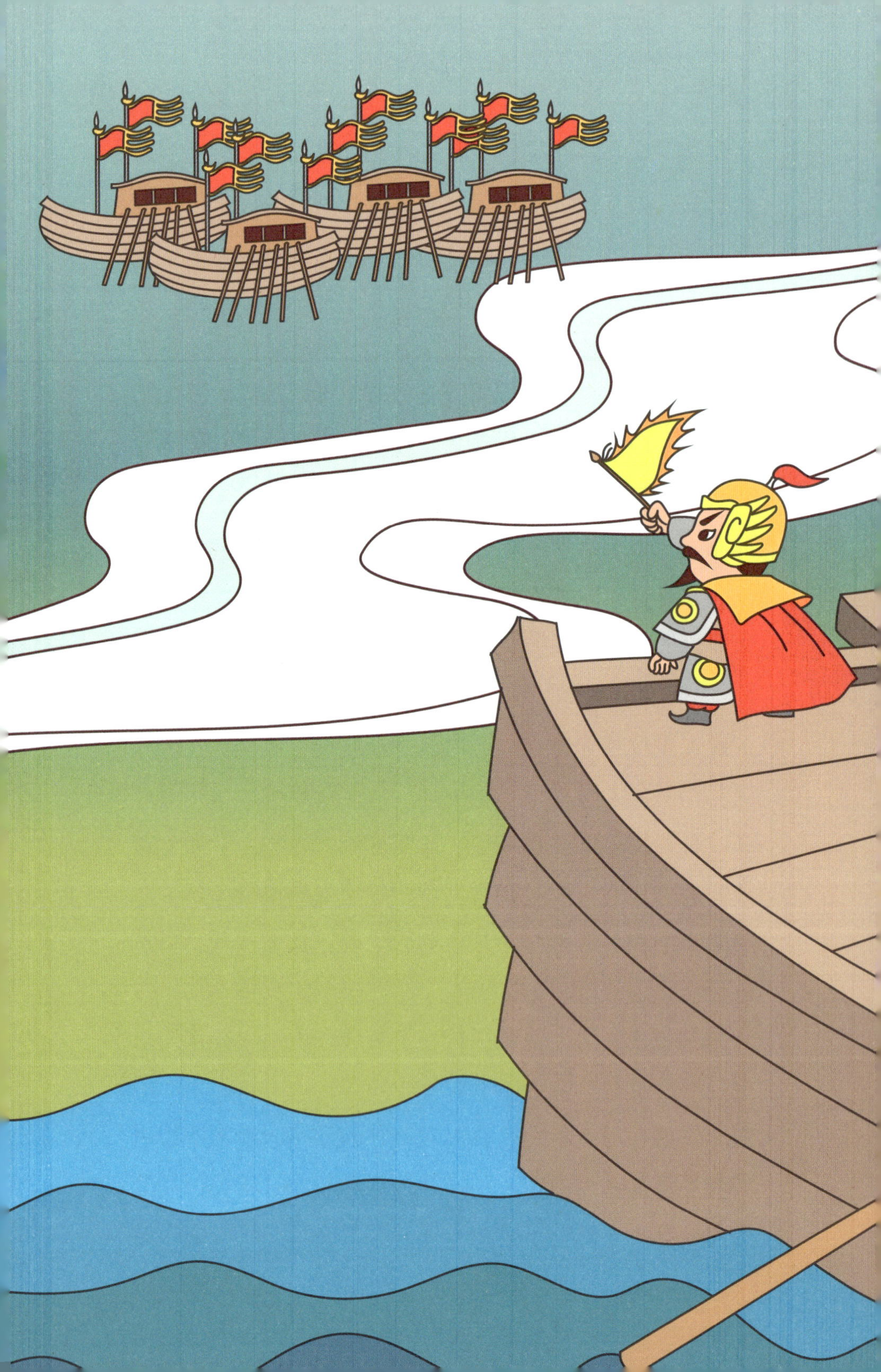

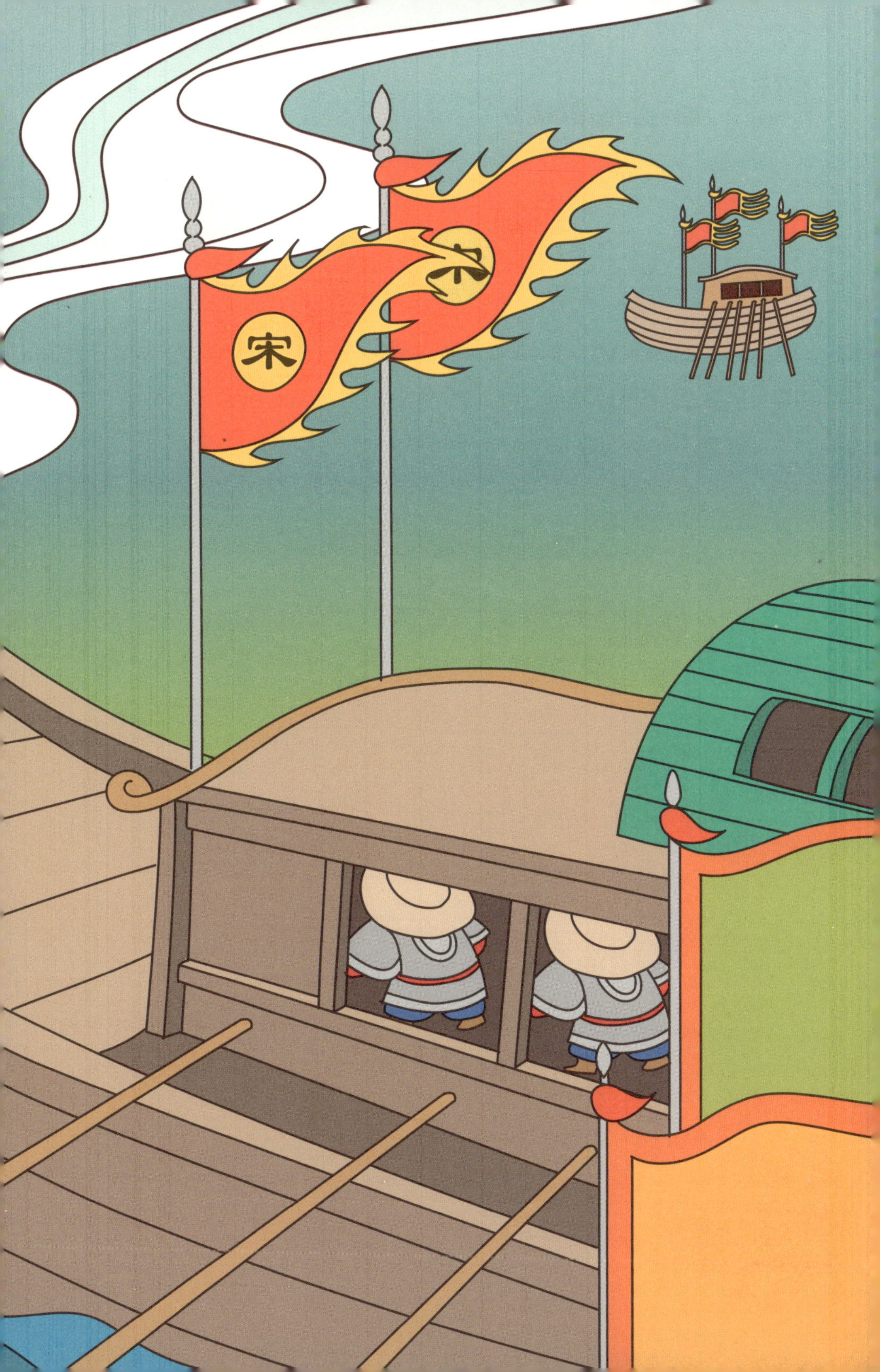
宋
宋

种细布。在刘裕的影响下，宫里宫外都形成了节俭的风气，没有人敢奢靡浪费。

422年，刘裕病重，朝中大臣们打算为他向神灵祈祷，刘裕一向不信怪力乱神，所以坚决不许，只是派人到宗庙焚香，将自己的病情告诉先祖。不久之后，刘裕病重不治去世了。

【知识拓展】

南燕：五胡十六国时鲜卑慕容德建立的政权。慕容德是后燕皇帝慕容宝的叔父，镇守邺城。397年，后燕都城遭受北魏侵犯，皇帝慕容宝弃城而逃，后燕被截为两部。慕容德率四万户南迁，自称燕王，史称南燕，400年改称皇帝。九年后，被刘裕所灭。

后秦：五胡十六国时羌人姚苌建立的政权。淝水之战后，北方大乱，曾经投降前秦的姚苌起兵反叛前秦。384年，姚苌自称大将军、大单于、万年秦王，史称"后秦"。385年，姚苌擒杀苻坚，一年后，在长安城称帝。

## 元嘉之战

"元嘉之战"又称"元嘉北伐",是指430年开始的刘宋讨伐北魏的战争,"元嘉"是刘宋文帝的年号。

刘宋文帝刘义隆即位后,就一直计划着收复被北魏占领的黄河以南失地。429年,北魏国主拓跋焘率军进攻柔然,刘义隆认为这是一个千载难逢的好机会,于是决定出兵攻打北魏。

430年春天,刘宋文帝下诏挑选精兵五万,令右将军到彦之领兵向黄河进发,同时又派骁骑将军段宏率领精锐骑兵八千人,直指虎牢关。

北魏守卫南方边境的将领们收到刘宋大军北上的情报,立即上书拓跋焘,要求主动出击,先发制人。拓跋焘考虑到北魏在黄河以南的驻军兵力不足,命令驻军悉数撤回黄河以北。这样一来,滑台、邺城、洛阳、虎牢四座北魏军事重镇的守将全部弃城而去。

同时,刘义隆和大夏国结成联盟,相约一同攻打北

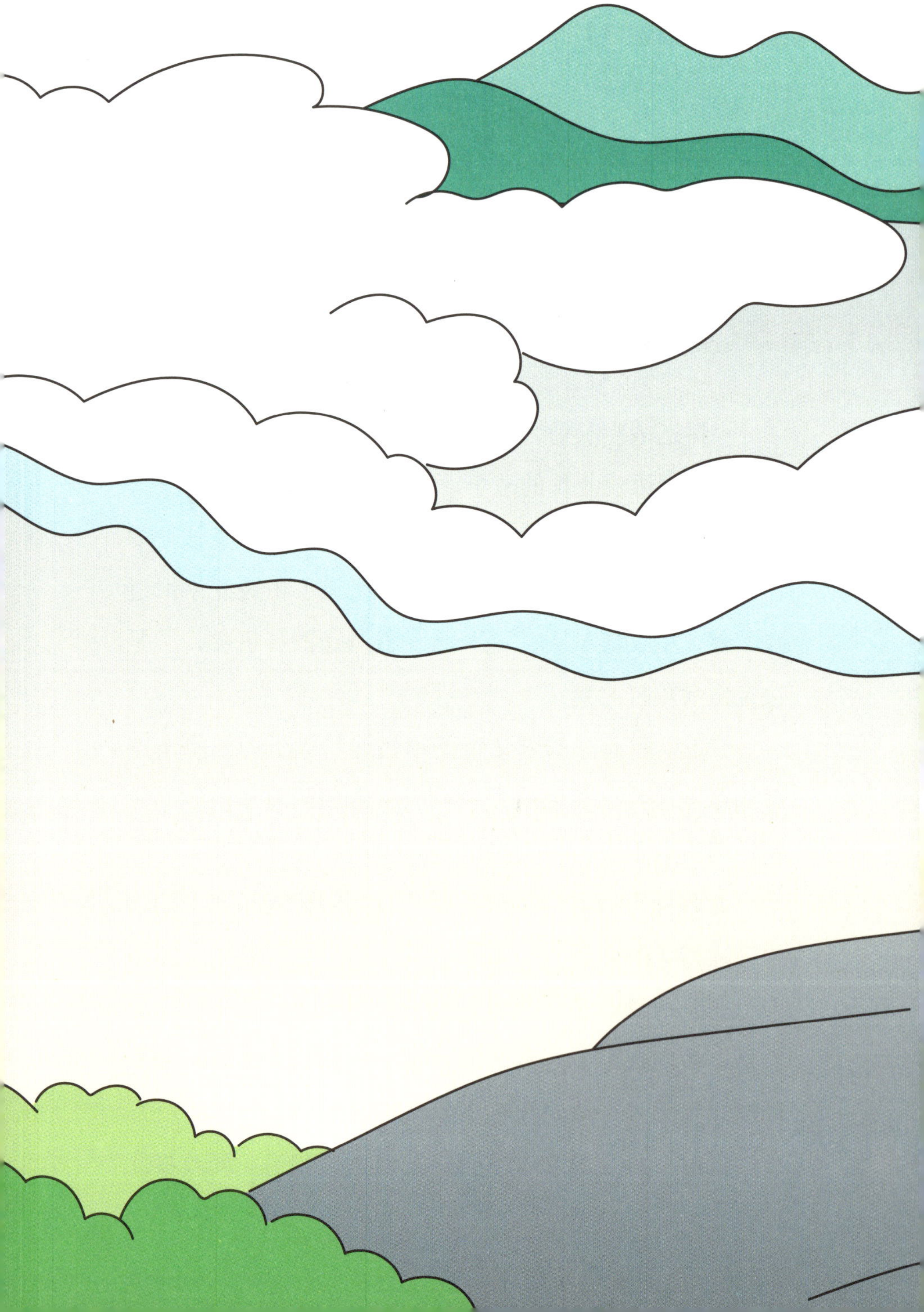

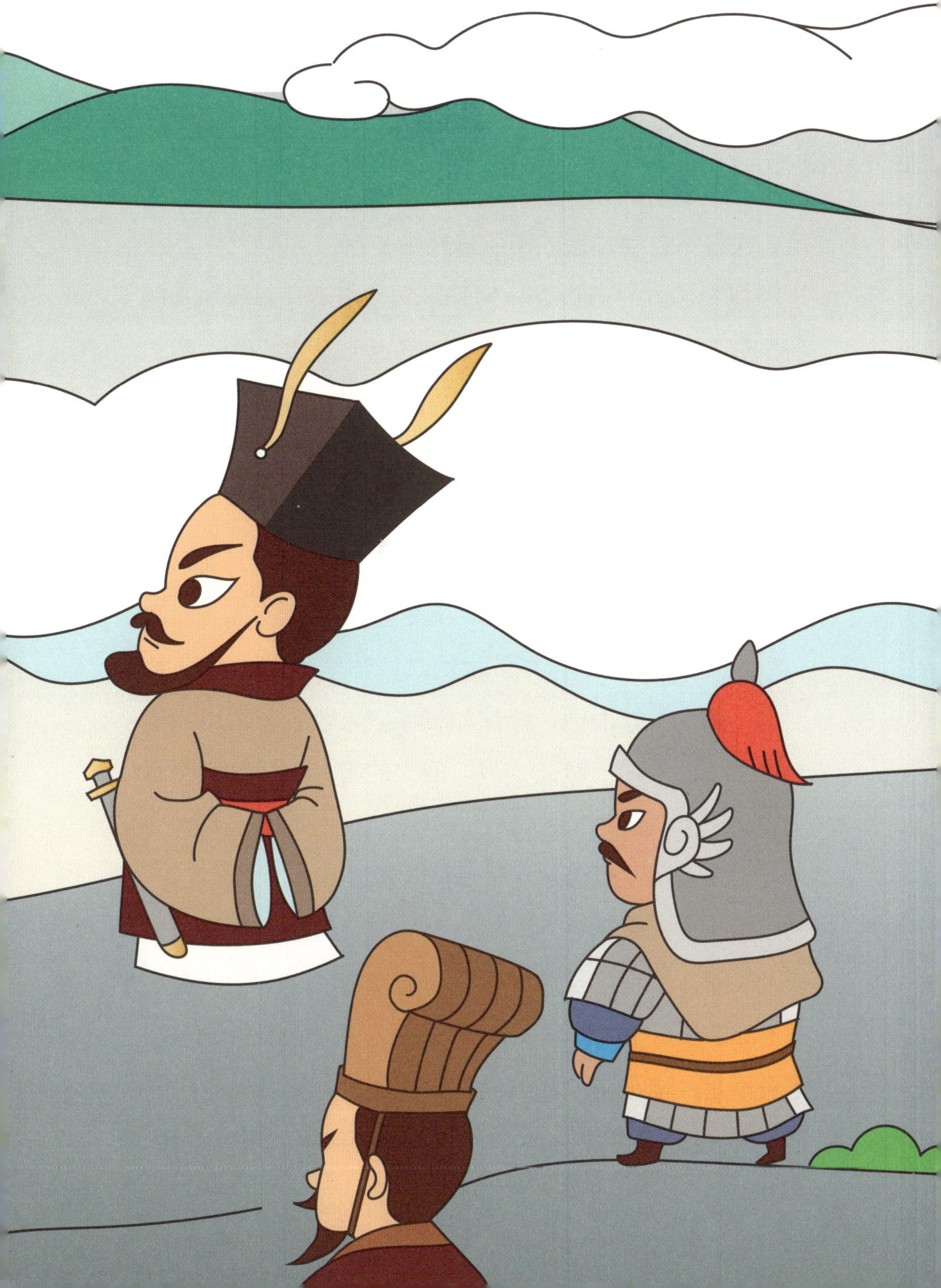

魏。不料拓跋焘对柔然国的战争很快取得决定性胜利，又亲自带兵攻打大夏国，一路上战无不胜，攻无不克。大夏军节节败退，就连大夏国国主赫连定也身负重伤，孤身一人逃跑。北魏军生擒了一百多个大夏国贵族和大臣，大夏军自身难保，不敢再轻举妄动。

刘宋这边的形势似乎大好，大军刚刚开到就非常顺利地进入了被北魏放弃的城池。各路军队都大喜过望，以为这次北伐定能成功。到彦之命令军队沿着黄河布防。由于防线过长，兵力被分散开来。寒冬一到，河水结冰，北魏军队踏冰渡河，如期而来。北魏铁骑来势汹汹，兵力分散的刘宋军队难以抵抗，全线溃败，洛阳、虎牢相继失陷。到彦之见形势不妙，下令撤军。

当初，到彦之率大军北伐时，浩浩荡荡，绵延数十里；如今大败而回，惶惶如丧家之犬，各种军用物资一路上抛弃殆尽。经此一战，刘宋的国库和武器库顿时空虚。

刘宋军队不战而逃，北魏军队紧追不舍，长驱直入。为了阻止北魏军队进入腹地，刘宋文帝急命名将檀道济率军北援。檀道济与北魏军队前后交战三十多次，在兵力不敌的情况下，仍然保持胜多败少。但因为粮草不继、军资不足，檀道济无法继续北上。这时，拓跋焘也已经打败大夏国，得胜回到北魏都城，形势对刘宋更为不利。

元嘉之战

好在檀道济骁勇善战、智谋过人，先后设下奇谋妙计，顺利带领刘宋残兵突围而归。

北魏国主拓跋焘派人出使刘宋，并且请求通婚，文帝并没有立即回复。北魏刚刚与大夏国和刘宋发生战事，需要休养生息，没有继续对刘宋用兵。

刘宋文帝刘义隆的"元嘉北伐"，就这样以失败告终。北魏在双线作战的情况下仍旧取得了胜利，而刘宋国力从此一蹶不振。

【知识拓展】

柔然：古代游牧民族，从拓跋鲜卑部落联盟中分离出来，4世纪末至6世纪中叶，中原地区正经历东晋十六国后期、南北朝纷争对峙，柔然继匈奴、鲜卑之后，活跃在大漠南北和西北广大地区。自突厥汗国在蒙古高原崛起后，柔然分裂许多分支，其中一支融入室韦，因此柔然也是蒙古人祖先之一。一支西迁成为欧洲所说的阿瓦尔人。

# 自毁长城

"自毁长城"这件事的主人公是刘宋著名将领檀道济和刘宋文帝刘义隆。

檀道济在刘宋开国皇帝刘裕的时代屡立奇功,威名远播,刘裕对他评价很高,认为他不仅有才干,精于谋略,而且没有野心。

刘宋文帝刘义隆继位不久就发动了北伐,希望能够夺回黄河南边的军事重镇,但多次交战都大败而归。刘宋的大将檀道济率领的军队也陷入了粮草不足的窘境,士兵也人人自危,无心打仗。

在这种危急形势下,檀道济心生一计,在夜色中命士兵将沙子一斗斗称量好,一边称还一边报出具体数字,再用军中仅剩的一点米粮覆在沙子上,看起来就像是一斗斗的粮食一样。第二天早晨,北魏军看到这种情况,以为刘宋军米粮十分充足,不敢轻举妄动。

当时,檀道济手下的将士并不多,而北魏兵人多势众，他们的骑兵部队将刘宋军四面包围，情势十分危急。檀道济镇定自若，命令军士们都披上铠甲，而自己则轻装上阵，只穿着白色便服，然后命令军队缓缓出城。北魏军见此情况，以为檀道济设有伏兵，不敢贸然攻击。就这样，檀道济的军队得以安全撤离，全军无一损伤。

　　檀道济有胆有识、足智多谋，为刘宋王朝屡立大功，因此刘义隆既赏识他的才能，又对他颇为忌惮。一次，刘义隆生了病，不管如何诊治，病情始终不见好转，下旨征召檀道济入京觐见。檀道济接到圣旨后，他的妻子对他说："自古以来，那些功高盖主的大臣们一定会受到猜忌，如今并没有战事，而皇帝偏偏在这时召你入京，看来是要大祸临头了。"

　　尽管心有疑虑，但檀道济还是奉旨去了都城建康，刘义隆留他在建康待了一个多月。这一个月里，刘义隆病情渐渐好转，于是决定不杀檀道济，送他回去。檀道济都已经坐上了船，船正准备出发，刘义隆的病情突然再次加重。这时，宗室大臣刘义康假传圣旨召回檀道济，说要为他设宴饯行，趁机将他抓了起来。被逮捕时，檀道济怒不可遏，他将头巾狠狠地往地上一摔，大吼道："你们这是在自毁长城啊！"

　　檀道济被抓后，刘义隆下诏公告天下，说在自己病重期间，檀道济暗中散发金银财物，招募地痞流氓，意

欲图谋不轨，并将檀道济交给专管司法的廷尉处理。廷尉审理之后，将檀道济以及檀道济的几个儿子，连同他的几个得力手下共十三人，一并诛杀，仅仅放过了檀道济年幼的孙子。被杀的将领大多才能出众、骁勇善战，特别是薛彤、高进之，他们被比作三国时期的关羽、张飞，许多人为之扼腕叹息。

北魏人听到檀道济被杀的消息，自然非常高兴，个个都说："太好了，檀道济一死，宋人根本就不值得我们忌惮了。"

自毁长城

后来，刘宋进攻北魏的战况一直不佳，不仅没有收复失地，还被北魏军长驱直入，进兵江淮。文帝心中抑郁，叹气道："如果檀道济仍然在世，局面会不会好一些？至少一定不会让北魏的军马跑到我们的国土上来。"言下之意，他对杀掉檀道济颇为后悔。

【知识拓展】

陶渊明曾被任命为江州祭酒，因为忍受不了官场琐事，弃官回家了。州郡召他担任主簿，他也不接受，而是自耕自足，不久生病在床。当时任江州刺史的檀道济去探望他，陶渊明卧床挨饿好几天了。檀道济说："贤人处世，朝廷无道就隐居，政治开明就出来做官，如今你生在开明盛世，为什么如此糟践自己呢？"陶渊明回答说："我怎敢充当贤人，我的志向比不上他们。"檀道济送给他粮食和肉菜，他却拒绝了檀道济的好意。

## 钟离之战

**钟**离之战发生在507年,是南梁武帝萧衍征伐北魏的著名战役。

505年冬天,北魏连续多年对南方用兵,北方百姓不堪沉重的徭役赋税,各地纷纷出现民变。梁武帝认为这正是出兵北魏的大好时机,于是征调大军,任命其弟萧宏为总指挥。北魏得知消息后,立即调兵应战,以名将中山王元英为诸军统帅。战争拉开序幕。

萧宏督军北上,军容之盛,前所未见。梁军迅速攻克梁城,诸位将领想乘胜深入,但是萧宏胆怯,按兵不动。

一个夜晚,天作狂风暴雨,军中一片慌乱,萧宏弃军而逃。将士们见主帅已逃,纷纷溃散,盔甲兵器丢得遍地都是,因溃逃而死的士兵就将近五万人。北魏军抓住时机,一路南下。昌义之当时驻守梁城,听到溃败的消息后,撤兵退守钟离。元英率军一路南下,与北魏将领杨大眼的军队在钟离城下会合,兵力达数十万人。

## 钟离之战

钟离城守军只有三千人，但是钟离城北边有淮水作为天险，易守难攻。元英对钟离城势在必得，北魏军队昼夜苦战，轮番攻城。双方每天交战数十次，死伤无数，北魏士兵的尸体堆起来几乎和城墙一样高。

钟离形势危急，梁武帝诏令曹景宗率领二十万军队援救钟离。曹景宗驻军在道人洲，等待各路人马会合后一齐进发。不久之后，梁武帝又令豫州刺史韦睿率兵前往救援。韦睿接到命令后，火速从合肥赶赴钟离，一路设桥铺路。十日之内，韦睿与曹景宗会合。

两人合兵后，火速前往救援钟离，在邵阳洲停军驻扎。韦睿命令士兵连夜在营地前二十里处挖掘长沟，将树木插在沟中，作为防御，因为两军相距仅有一百多步远。第二天天亮，元英见后面突然出现一座军事堡垒，大为吃惊，以杖击地说："这是何方神仙啊！"北魏将士见南梁援兵军容强盛，心中畏惧，气势大衰，而钟离城中的将士得知援兵赶到，立即士气大增。

杨大眼是北魏骁将，勇冠三军，他率领骑兵一万多人突击韦睿军，所到之处，无不降服。为了阻止杨大眼的锐势，韦睿将战车连在一起，将杨大眼的骑兵围住，北魏骑兵伤亡惨重，杨大眼被流矢贯穿右臂，只得退去。

第二天清晨，元英亲自率军前来挑战，韦睿乘坐木车，手执白角如意临阵指挥。一日之内，双方交战数次，

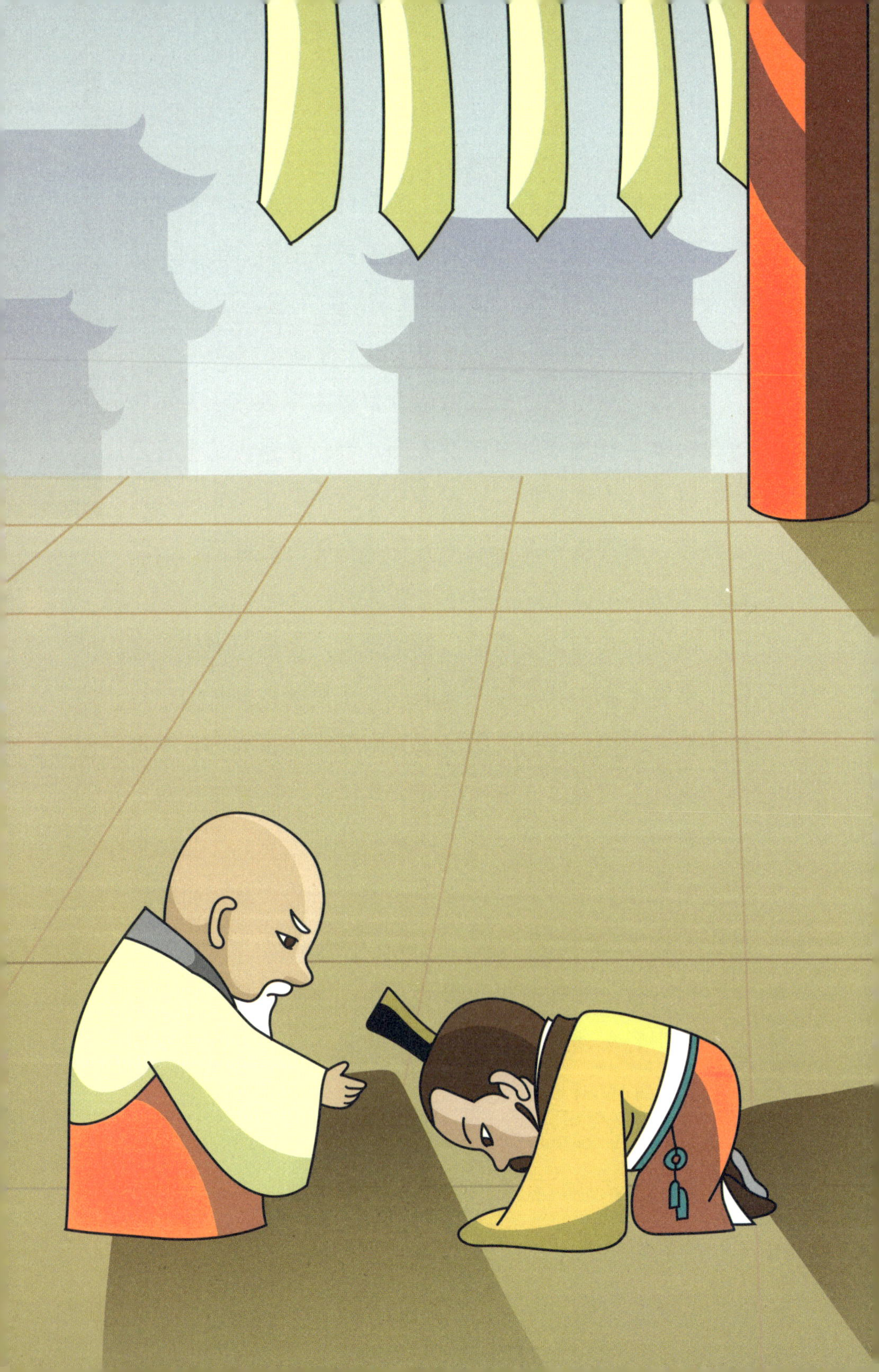

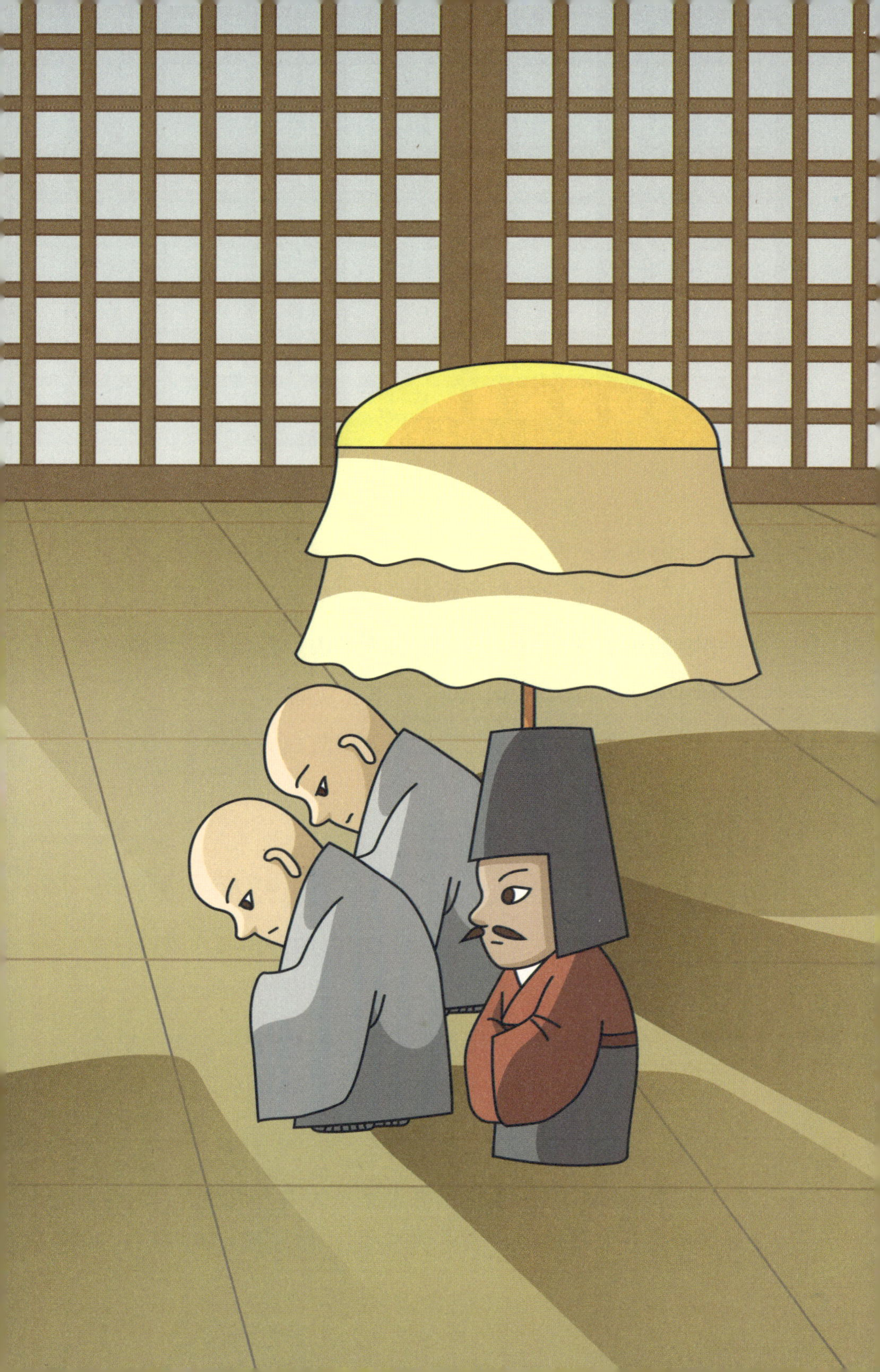

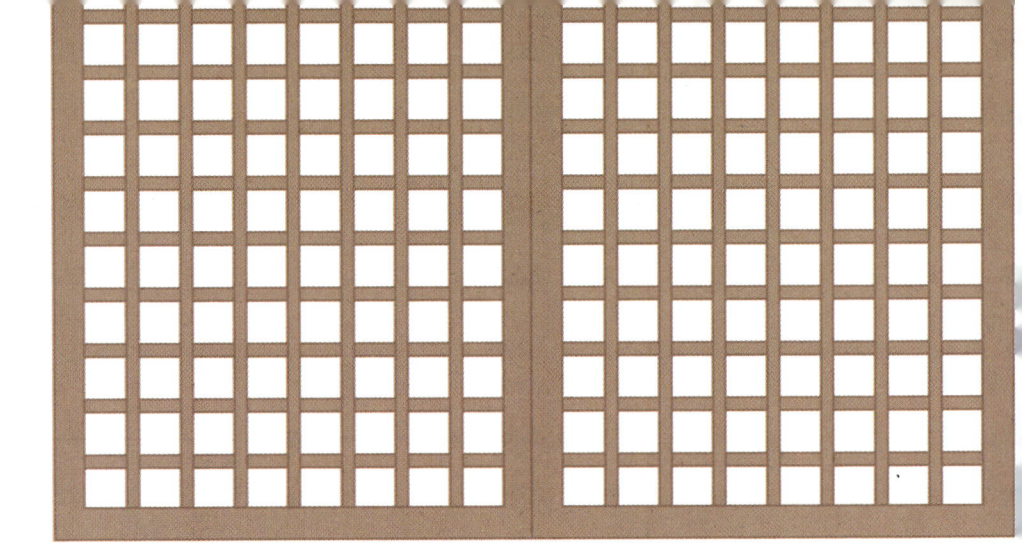

元英不能取胜，被迫撤军。夜晚，北魏军去而复返，集中兵力发起猛攻。箭矢如暴雨一样射向城中，韦睿的儿子韦黯请求下城避箭，韦睿坚决不下去，将士们被将军的勇气所感，奋力抗敌，终于打退北魏的攻击。

梁武帝事先曾命令曹景宗等人修筑高大的船舰，这种船舰与北魏架起的桥一样高。曹景宗和韦睿各攻一座桥，曹景宗攻北桥，韦睿攻南桥。三月，淮水暴涨六七尺，韦睿派人用小船装满草料，草上浇上膏油，纵船放火去烧桥，风助火势，火借风威，一时间烟尘遮天蔽日。又有南梁勇士奋勇出击，砍伐桥墩，北魏的两座桥梁摇摇欲坠，这时的水流又格外湍急，两座桥最终垮塌。北魏军队全线崩溃，元英弃军而逃，杨大眼也放火烧了营地离去。

钟离之战，北魏军几乎全军覆没，南梁大获全胜，曹景宗和其他将帅都争着告捷请功，只有韦睿居于众人

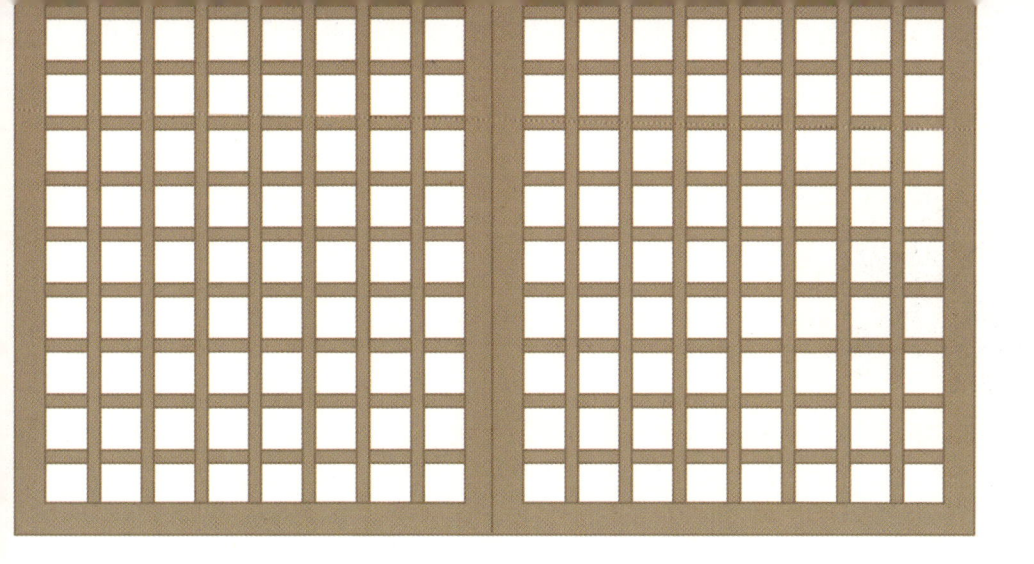

之后，世人因此愈加敬佩韦睿。梁武帝下诏增加曹景宗和韦睿的爵邑，又重重赏赐了昌义之等人。

【知识拓展】

佛教在传入中国的初期，僧人还可以吃肉。梁武帝笃信佛教，他把佛教五戒中的不杀生引申为素食，颁布了《断酒肉文》，禁止僧众吃肉，自己也行素食，开启了汉传佛教素食的传统。在梁武帝的支持下，梁代佛教达到了南朝佛教的最盛期。他最后在侯景之乱时，饥病交加，死于寺中。

## 陈庆之伐魏

北魏后期，朝政腐败，有实力的大臣纷纷割据一方，朝廷不能驾驭。在这种情况下，北魏皇室元颢投降南梁，请求梁武帝出兵助其回国称帝。于是，梁武帝封元颢为魏王，命东宫直阁将军陈庆之领兵七千护送元颢北上称帝。

陈庆之出身寒门，长期不得重用，一直陪着梁武帝下棋，直到四十二岁才得到独立带兵的机会。这次只派出区区七千人，梁武帝的敷衍可想而知。

北魏上党王元天穆见陈庆之率军来犯，而境内又有邢杲（gǎo）作乱。大多数将领认为只有七千人的陈庆之势单力薄，不足为虑，将军队调去攻打邢杲。陈庆之趁北魏防守空虚，迅速攻占荥城，攻下梁国城。

北魏济阴王元晖业率领两万羽林军据守考城以阻挡陈庆之，考城四面环水，易守难攻。陈庆之浮水设桥，攻下考城，生擒元晖业，缴获无数战利品。之后，陈庆

之挥军西进，兵锋直指北魏都城洛阳。

此时，北魏皇帝意识到这七千人马的恐怖，于是调集重兵扼守荥阳、虎牢等地，以保卫洛阳。杨昱督兵七万，镇守荥阳，荥阳城防坚固，陈庆之一时未能攻克。元天穆等也各率大军相继赶往荥阳，北魏军合计三十万人。形势危急，陈庆之亲自擂鼓助战，士卒们一鼓作气，攻克荥阳，活捉杨昱，而梁军只损失了五百人。

元天穆率领二十多万援军赶到荥阳时，荥阳已经落入陈庆之手中，于是将荥阳城层层包围。面对众多敌军，陈庆之毫无畏惧，率三千人出城迎击，背城而战，大败北魏军，元天穆落荒而逃。

北魏皇帝大为惊恐，于是逃出洛阳，北渡黄河，诏令大将军元天穆、大丞相尔朱荣合剿南梁军。元颢在陈庆之的护送下顺利进入洛阳，称帝改元。

不久，元天穆率军四万攻克大梁，令费穆领两万人攻打虎牢。陈庆之得知后，出兵掩袭元天穆。元天穆心生畏惧，北渡黄河而逃。费穆将要攻下虎牢，得知元天穆北渡黄河，无心再战，向陈庆之请降。陈庆之仅凭七千之众，从铚县出发至洛阳，攻占城池三十二座，大小四十七战，所向无敌。陈庆之和部下皆穿白袍，所以洛阳城中有童谣唱道："名师大将莫自牢，千兵万马避白袍。"

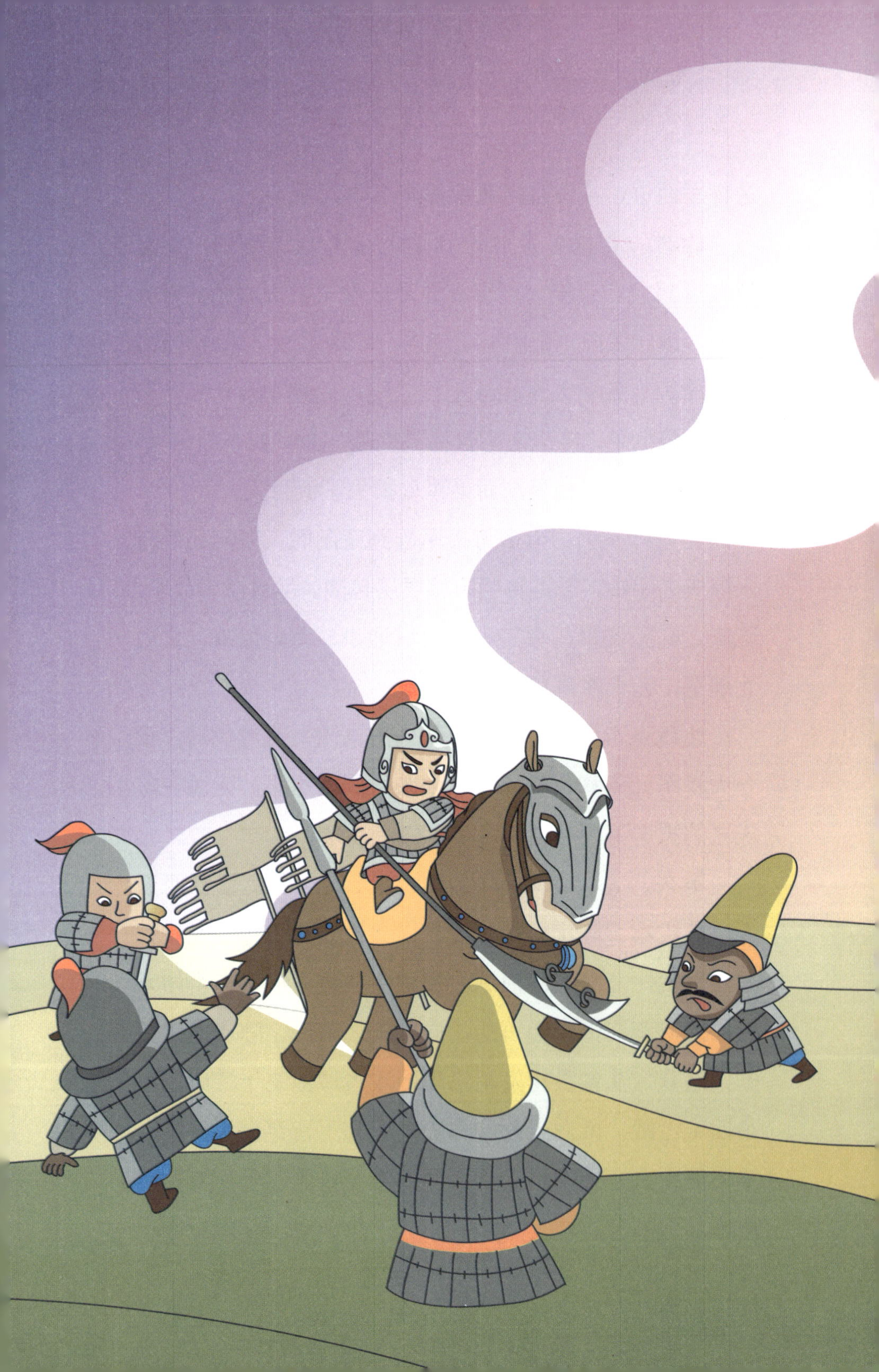

元颢夺得北魏政权后，便想反叛梁朝，但因为局势尚未稳定，仍需要依靠陈庆之的力量，所以不敢公开与梁朝决裂。

尔朱荣听说北魏皇帝出逃，前去面见，并一路部署军队。北魏皇帝在尔朱荣的护送下南归洛阳，十天之内，就集结百万之众。而元颢自夺得政权后，骄傲怠惰，独断专行，而且将以前的亲朋故友全部安排在朝中担任要职，终日与他们饮酒作乐，毫不体恤军国大事，使朝野上下大失所望。所以，尔朱荣南下之时，各州县纷纷反叛，重投北魏。

尔朱荣率百万之众席卷而来，与元颢的军队在黄河两岸相持。陈庆之率领七千白袍军镇守洛阳的门户北中城，元颢则据守河桥南岸。陈庆之在三天内，与尔朱荣的大军交战十一次，七千人的军队将尔朱荣的百万之众打得伤亡惨重。

这时，尔朱荣听从谋士建议，大造木筏，趁夜色渡过黄河，袭击元颢的军队。元颢军溃逃，元颢则率部数百人南逃。

元颢失败后，陈庆之以及他的七千白袍军成了一支孤军，局势无可挽回，向东逃走。陈庆之先前夺取的城池，又尽数投降北魏。尔朱荣亲自率大军追赶陈庆之，但是担心追得太紧会遭陈庆之的反击，离得太远又担心追不

上，放弃追赶又不甘心，就这样保持距离跟着陈庆之。

陈庆之来到嵩高河，恰逢河水大涨，七千白袍军全军覆没，只剩下陈庆之一人。陈庆之剃光须发假扮和尚，才得以逃回建康，北伐就此结束。

## 【知识拓展】

陈庆之攻入洛阳之时，因萧衍篡位而逃往北魏的萧赞向梁武帝上书，请求允许返回梁朝。当时萧衍的生母吴淑媛还在世，梁武帝让吴淑媛将萧赞幼时穿的衣服给萧赞送去，意思是欢迎他回故国。书信等还未传到，陈庆之便失败了。

陈庆之从北魏逃回梁朝后，特别看重北方人，朱异对此感到很奇怪，便问陈庆之为什么这样。陈庆之说道："我当初认为长江以北地区都是戎狄之乡，等到了洛阳之后，才知道礼仪人物都在中原地区，不是江东所能企及的，我们有什么理由轻视北方人呢？"

## 侯景之乱

528年,尔朱荣夺取北魏军政大权。很多人都前去依附他,侯景也是其中之一。后来,高欢消灭了尔朱氏,掌握北魏的大权,侯景又依附了高欢。534年,北魏内部矛盾激化,分裂成东魏和西魏,高欢掌握东魏政权,侯景也成为东魏的重要将领。

侯景英勇善战、足智多谋,但为人狡诈、两面三刀,又自恃其才,看不起别人,对高欢之子高澄也是一副高高在上的姿态。所以侯景虽然得到高欢的器重,但与整个高氏集团并不和睦。高欢一死,他意识到情势不妙,于是反叛了东魏,投降西魏,同时又给梁武帝写信,表示愿意帮助南梁攻打东魏。梁武帝便任命侯景为大将军,封他为河南王。

东魏高澄派兵攻打侯景,梁武帝派去援助侯景的援军还没有到,侯景情急之下便将本来许诺给南梁的四座城池给了西魏,以此作为贿赂,得到西魏的援助。之后他又担心梁武帝会责怪自己,便写信向梁武帝解释,信中字字血泪,倾诉了当时自己的处境如何艰难,向西魏求救是如何不得已,自己对南梁又是如何忠心耿耿。梁武帝被侯景迷惑,并没有怪罪他。

梁武帝命自己的侄子萧渊明和侯景一同带兵北上进攻东魏,东魏将领慕容绍宗大败萧渊明,将其生擒,又与侯景对战,侯景命人从背后偷袭,东魏军队溃败。这一战之后,两军互有胜负。相持了几个月,侯景的粮食吃完了,手下的将领也大多投降,侯景只得带着剩下的士兵败逃。

侯景兵败,无处可去,有人献计让侯景占领寿阳,侯景听从了。侯景上表将自己战败的事奏禀朝廷,又请求朝廷为他补充财物和给养,梁武帝不但不怪罪侯景强占寿阳,还任命他为南豫州牧。有大臣知道此事便上奏道:"侯景打了败仗,损兵折将,您竟然不怪罪他。恶人的禀性是不会改变的,当年吕布杀死丁原投降了董卓,而最终又将董卓杀了,狼子野心,最终也不会被驯服。侯景凭借他那凶狠与狡猾的才能得到高欢的保护,得以身居高位,高欢死后他立刻就反叛了高氏,西魏没有收容他,他这才投靠我们。现在他又战败了,陛下却要为他破坏和东魏之间的关系,您这是养虎为患啊!"梁武帝并没有听从这位大臣的忠言。

侯景之乱

　　东魏多次派使者出使南梁，希望恢复两国的友好关系，并附上被俘的萧渊明的书信，梁武帝开始动摇，准备重建两国之间的和睦关系。侯景知道后，劝他打消这个念头，梁武帝没有答应。侯景竟然假造了一封东魏的书信，信上要求用侯景交换被俘的萧渊明。梁武帝打算答应这一要求，并派人去抓侯景。侯景开始着手准备反叛南梁，将寿阳城内的所有居民都招募为士兵，百姓之女全都分派给将士们来收买人心。

　　梁武帝的侄子萧正德，因多次受到梁武帝的斥责，怀恨在心，暗中豢养了一批死士，储存粮食、财物，预谋造反。侯景知道后和他一拍即合，两人一同策划谋反。

　　548年，侯景在寿阳起兵反叛，梁武帝知道后不屑一顾，下令悬赏，杀掉侯景的人封为三千户，又派兵前去平乱。

　　侯景得知朝廷派军来镇压自己，便扬言进攻合肥，实际上却突袭谯州，谯州城侯萧泰不得民心，谯州助防打开城门，投降了侯景。南梁连续安定多年，百姓不习惯作战，侯景有时不费一兵一卒就能夺取城池。梁武帝知道已有多地失守，才慌了手脚。

　　侯景抢占军事重地采石，挥军直逼都城建康，朝野上下震动，人人自危，没有人敢应募出征。这时朝廷还不知道萧正德已暗中投降了侯景，竟然命他把守皇城的

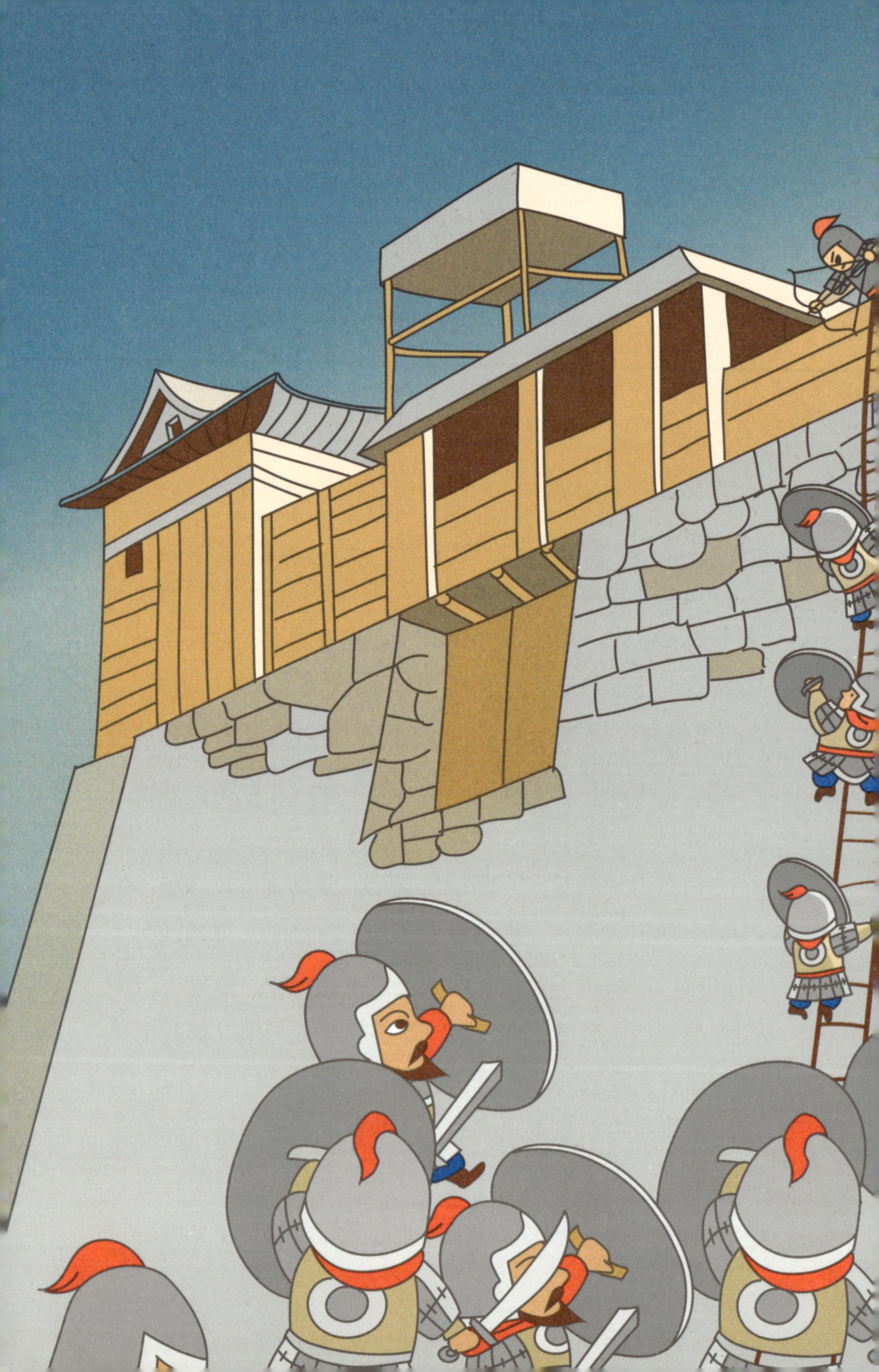

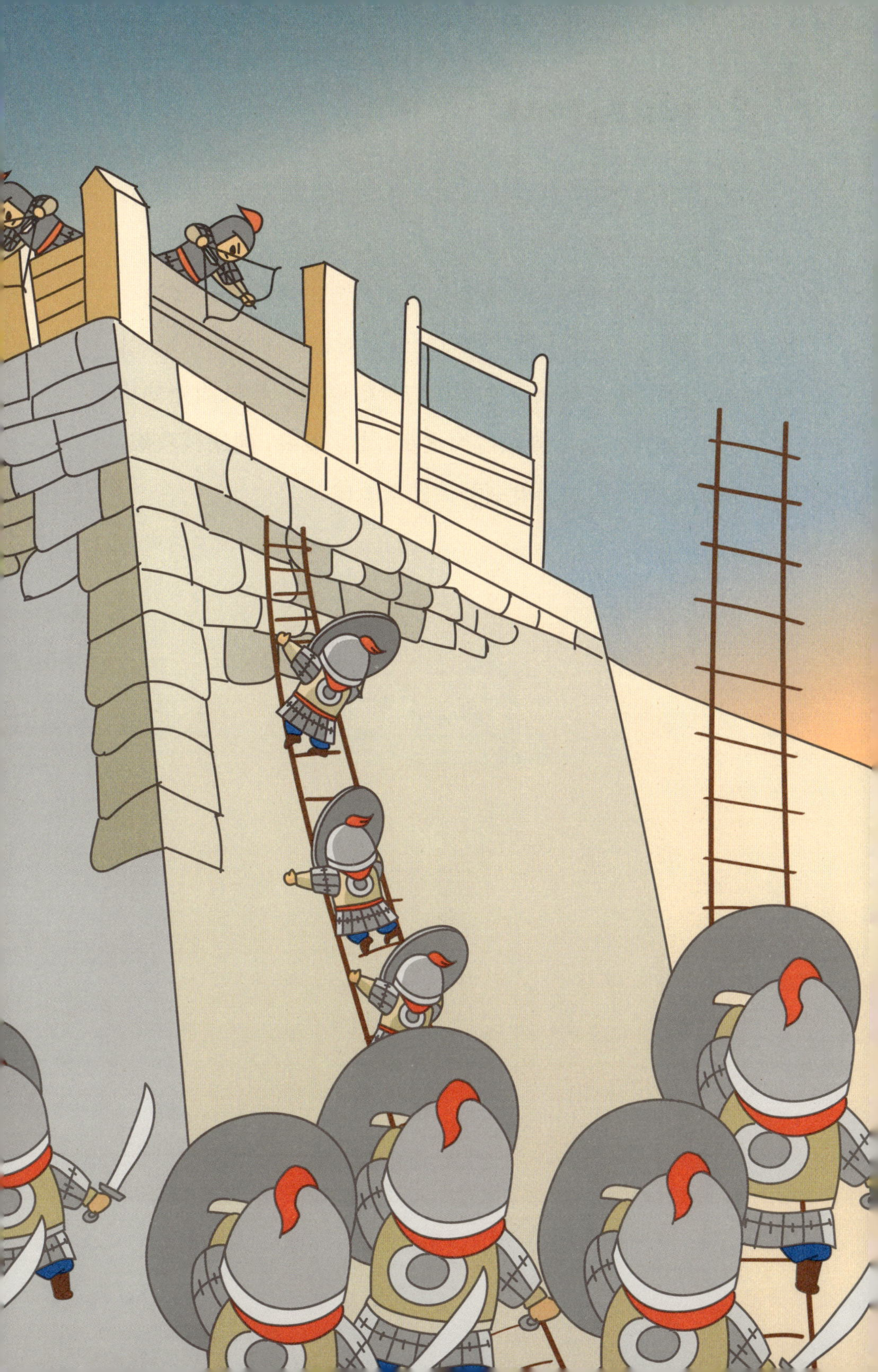

朱雀门，结果侯景部队一到，萧正德的军队就与其会合，一同攻打皇城。

救援建康的军队陆续从四面八方汇集而来，却没有统一指挥，军纪涣散，难以与侯景对抗。侯景粮草缺乏，又见援军人多势众，便假意与萧衍停战，趁机四处劫掠军粮、武器，而后撕毁盟约重新开战。最终，建康被攻破，梁武帝萧衍和太子萧纲都被侯景所擒。

## 【知识拓展】

萧纲：梁武帝萧衍第三子。侯景之乱，梁武帝萧衍受囚并饿死狱中后，萧纲即位称帝，不久也被侯景杀害。

萧纲在政治上的成就远没有在文学上的成就大。萧纲自幼爱好文学，因为特殊的身份围绕着他，形成了一个主张鲜明的文学集团，公开宣布并倡导文学史上著名的宫体文学，形成风尚。

# 无忧天子高纬

高纬是南北朝时期北齐的皇帝，十四岁即位，四年后父亲去世才真正掌权。

北齐朝廷中有一个叫作和士开的人，善于阿谀奉承，很得高纬的欢心。高纬一亲政，和士开就开始怂恿高纬解除弟弟琅玡王高俨的兵权。高俨听到这个消息，马上组织了一队人马把和士开杀了。手下的士兵们建议他造反，高俨也同意了。高纬招来忠臣斛律光。斛律光劝高纬说："琅玡王的手下是为了杀和士开组织起来的，并不是都有谋反之心，只要您前往台阶上一站，那些士兵就不敢动手了。"

果然，高纬一露面，高俨的军队就四散而逃，只剩下高俨一个人。斛律光赶紧为高俨说情："天子的弟弟杀个人算什么大事呢。琅玡王现在年纪小，长大后就不会这样了。"胡太后知道他不会轻易放过高俨，就把高俨带在自己身边。每次吃饭前，太后都会亲口尝试确定没有毒之后再让儿子吃。结果，高俨还是没能逃过高纬的毒手。几个月后，高纬趁胡太后睡觉的时候，邀请高俨去打猎，把他绑到皇宫杀了。

杀了高俨之后，高纬还是很害怕有人抢夺皇位，又担心起宰相斛律光。斛律光一家可以说是北齐的顶梁柱，斛律光和他的父亲打了很多恶仗才使得北齐平安无事，斛律光本身也是名将。正因为他的才干，高纬很害怕他会篡位，就找借口把斛律光一家全部杀了。当时北周皇帝听到这个消息，下令大赦全国，庆祝斛律光的死。

兰陵王高长恭是高纬的堂兄，也是个有名的将军。高长恭长相俊美，但他总觉得自己的容貌过于阴柔，所以作战的时候总是带上面目狰狞的铁面具来威吓敌人。有一次洛阳被北周军队重重围困，高长恭带了五百骑兵突围到城门下，城里的士兵都不敢相信有人能打进来，害怕被骗所以都不敢开门。最后高长恭摘掉了面具，守军一看真是兰陵王，赶紧开门接应。士兵们唱着《兰陵王入阵曲》把高长恭迎进了城里。后来有一天高纬听到了这首曲子，就对高长恭说："深入阵列之中太危险了，一旦失败了，后悔都来不及。"高长恭没有思考就回答道："这原本就是我们的家事，不觉得危险。"不料，"家事"这两个字让高纬心里非常不痛快，开始对兰陵王产生了猜忌。有一次高长恭患病，高纬马上派人送去

了毒药，说是帮他治病。高长恭对自己的妃子长叹："我对陛下如此忠心，为什么还要被毒死呢？"

　　杀掉了朝中最会打仗的人，高纬觉得自己的宝座安稳了，就开始吃喝玩乐。他在宫里的后花园开辟了一块地，建了一个村子，自己经常穿上破破烂烂的衣服在那里装成乞丐向宫女们讨饭。后来又在里面建了一个市场，在那里过讨价还价的瘾。北齐的百姓都讽刺他是个"无忧天子"。

　　这个"无忧天子"有一个非常宠爱的妃子叫作冯小怜。冯小怜原本是皇后身边的侍女，当时高纬很宠爱会弹琵琶的曹昭仪，为了夺回皇帝的宠爱，皇后想出了一个主意：让冯小怜去引诱皇帝，打败曹昭仪。结果，冯小怜确实打败了曹昭仪，但是皇后也被冯小怜打败了。冯小怜能歌善舞，高纬很宠爱她，几乎形影不离。

　　在高纬置国事于不顾的时候，北周的武帝开始进攻北齐。576年，北周大军攻陷平阳。

　　冯小怜让高纬亲自带兵去反攻平阳，高纬言听计从，把平阳城团团围住。在快要收复失地的关键时刻，高纬下令停止攻击，传召冯小怜来观看千军万马破城的壮观场面。于是小怜开始梳妆打扮，等到她打扮好了，天已经黑了。她来到城前，抱怨天黑看不清楚，让明天再打，结果第二天下起大雪，冯小怜不想出门。等到天气好转，

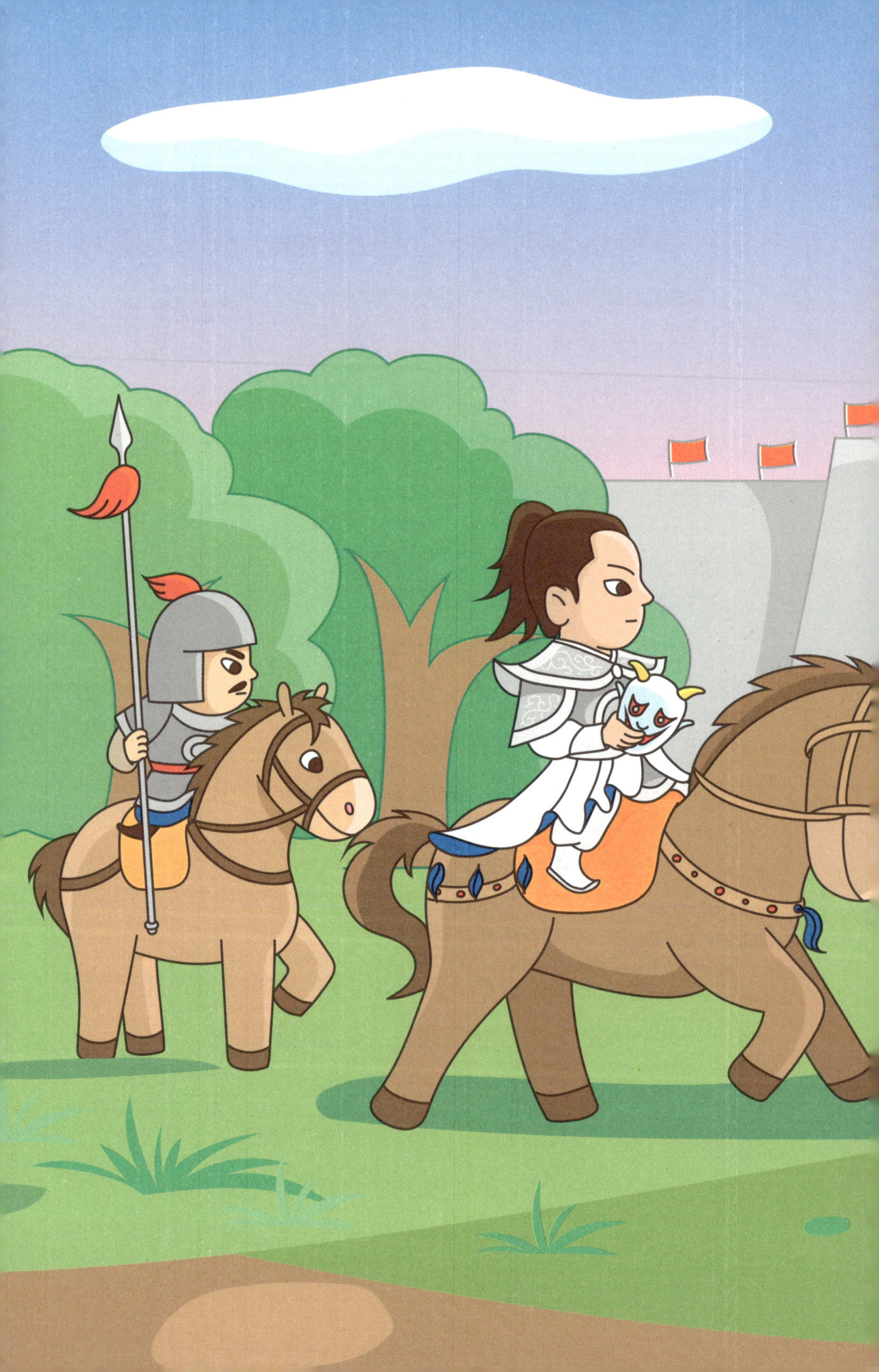

城阳洛

北周武帝已经带着大军到了。两军在各自皇帝的带领下展开决战。刚开始交锋，北齐一个部队略有后退，吓得冯小怜连喊"败了，快逃"。高纬听了这句话，马上撤退。北齐士兵一看皇帝临阵脱逃，斗志瞬间崩溃。

高纬被抓，他乞求北周武帝把冯小怜还给他，武帝答应。半年以后，为了斩草除根，武帝找人诬告高纬谋反，灭了他们一族，冯小怜也上吊自杀了。

**【知识拓展】**

北齐：中国南北朝时的北方王朝之一。550年，由文宣帝高洋取代东魏建立，国号齐，都城为邺，史称"北齐"。

# 隋文帝灭陈

581年，北周静帝禅位，杨坚称帝，定国号为隋。588年，隋文帝下诏出师讨伐南陈。任命晋王杨广、秦王杨俊、清河公杨素三人为行军元帅，率军攻打南陈。

杨素率领水军顺流而下，越过三峡，进入南陈管辖区域，南陈将军戚昕率领一百余艘战船防守此处，隋朝将士忧心忡忡。杨素说道："成败在此一举，我军如果白天进攻，敌军就会知道我们的虚实，不如夜里突袭。"于是亲自率领战船趁夜色顺流而下，黎明时袭击了敌军。戚昕战败逃走，隋军将俘虏的南陈将士慰劳后全部遣返。

陈叔宝知道隋军打来，不以为然，终日只是饮酒作乐，宴饮观舞，好不快活。

隋军大将贺若弼统率军队准备渡过长江攻击南陈，他卖掉军中老马，大量购买陈朝的船只，并将这些船藏了起来，只把买来的破船停泊在外面，让南陈的探子以为隋军没有船渡河。贺若弼又时常派遣军队沿江打猎，

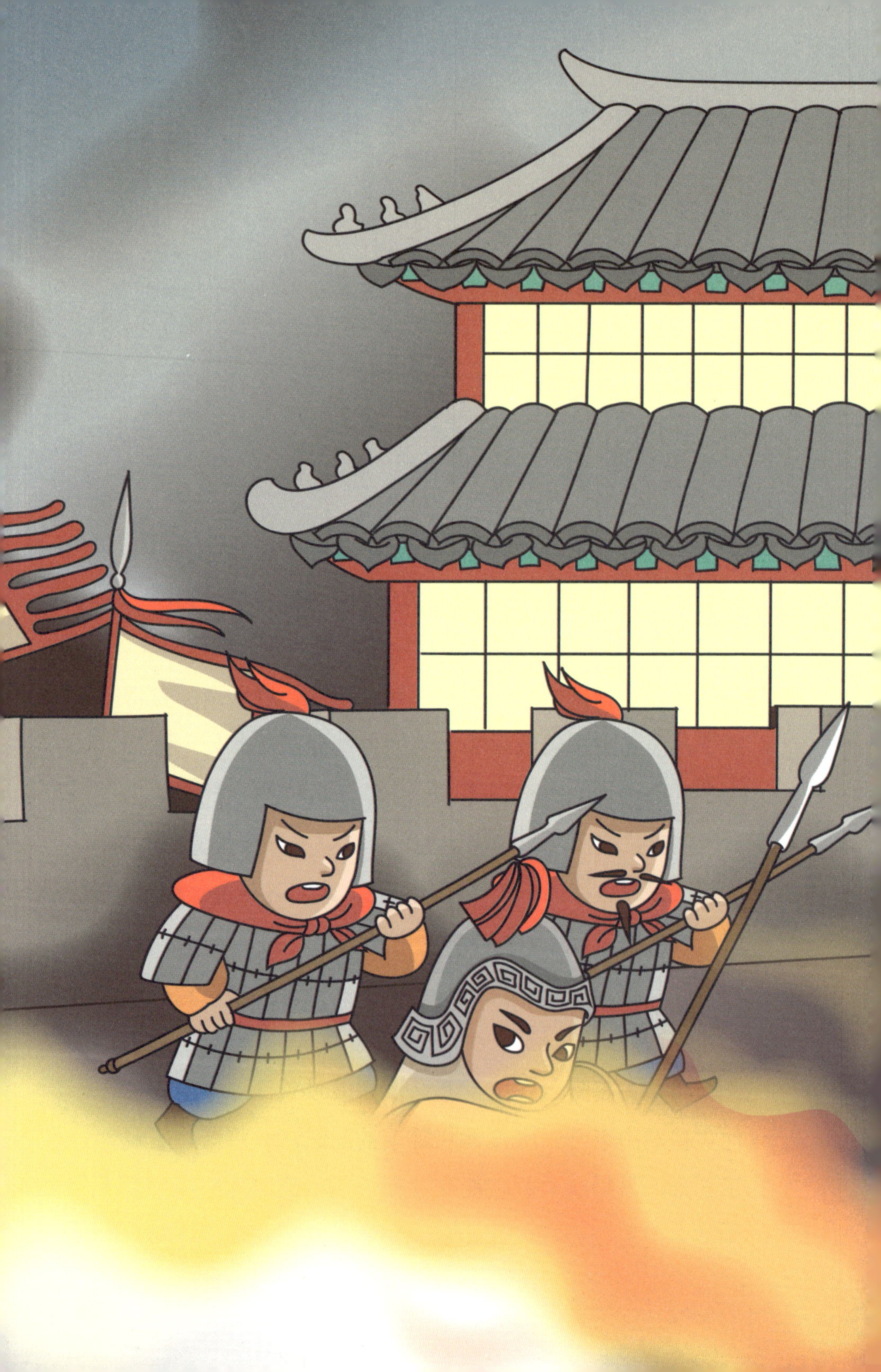

每次都闹得人欢马叫，南陈军队渐渐习以为常，不再戒备，以至于后来贺若弼渡江时，南陈守军都没有发觉。南陈所依赖的长江天险就这样被打破了。陈后主慌了手脚，下令召集大臣商议军政，调兵遣将，加强防务。

不久，贺若弼攻克了京口。贺若弼军纪严明，大军所到之处秋毫无犯，对南陈俘虏也很宽容，不仅全部释放，还好言安慰，发放粮食、财物，并给他们隋文帝的诏书，使南陈百姓都知道隋军这次攻打南陈完全是因为南陈国主昏庸无能，是为南陈百姓着想。因此，隋军所到之处，南陈军队往往溃不成军。

就这样，贺若弼率军从北道，韩擒虎率军从南道，夹击南陈都城建康，南陈各处守军不是望风而逃，就是开城投降。当时，建康还有军队十余万人，可是陈叔宝只知道日夜哭泣，把建康的军情和布防事宜全部交给身边的一个奸佞小人。那个小人知道自己平日所作所为遭人厌恶，将士们不可能听他指挥，又担心那些将帅立了功后取代自己，于是就向陈后主上奏说："那些将帅个个心怀不满，一向不甘心臣服陛下，现在到了危急时刻，我们不能信任他们。"陈后主果然不再信任身边的将士。结果，当贺若弼进攻京口时，朝中大将萧摩诃请求率军迎战，陈后主不许。等到贺若弼进军钟山时，萧摩诃又上奏说："贺若弼孤军深入，若乘机出兵袭击，一定会胜利的。"陈后主还是不许，就这样白白延误了战机。

贺若弼兵临城下，陈后主只得派萧摩诃迎敌，结果一败涂地。陈后主非常惊慌，想要躲起来，袁宪却很严肃地说："隋军进入皇宫后，一定不会伤害和侮辱陛下。事已至此，陛下还能躲到哪里去呢？我请求陛下穿戴整齐，端坐正殿，就像当年梁武帝见侯景时做的那样。"陈后主根本不听，跟着十余个宫人逃出皇宫，还是跳进井里躲藏。不久，隋军兵士向井里大声喊叫，井下无人回答，士兵扬言要落井下石，这才听见有人在井下叫喊，于是抛下绳索往上拉人，抓到了陈后主。

至此，南陈灭亡，隋统一了全国。

【知识拓展】

陈叔宝：南北朝时期南朝陈朝末代皇帝，史称陈后主。在位时大兴土木，生活奢靡，日夜与妃嫔游宴，被隋军所俘，最后在洛阳城病逝。唐朝诗人杜牧诗：商女不知亡国恨，隔江犹唱《后庭花》。《后庭花》即指陈后主所创作的靡靡之音《玉树后庭花》，后世称为亡国之音。

# 瓦岗起义

611年，隋炀帝杨广下诏准备征讨高丽，要求全国往高阳运送粮食、武器以及各种军需。运载装备的人往来于道路上，常常有几十万人之多，昼夜不停，拥挤非常，途中病死累死的人的尸体到处都是。

这一年山东、河南发大水，淹没了很多地方，黄河河道又被堵塞，河水逆流几十里，两岸百姓背井离乡，四处逃亡。自邹平王薄开始，各地纷纷举起起义的大旗。

翟让本来是个小官，因为犯罪要被处死，监狱长认为翟让不是平常人，偷偷把他给放了。翟让逃到瓦岗做强盗，与他一同前去的还有单雄信，他们通过抢掠船只来补充供给，声名日渐壮大，前来投奔他们的人越来越多。

李密是名门之后，投靠了当时起兵反隋的杨玄感，后来杨玄感被杀，李密只得四处流亡。当时已经有很多平民起义军，但因为没有受过教育大多胸无大志，只想着怎么填饱肚子。李密便四处游说各个起义军首领，向

仓洛兴

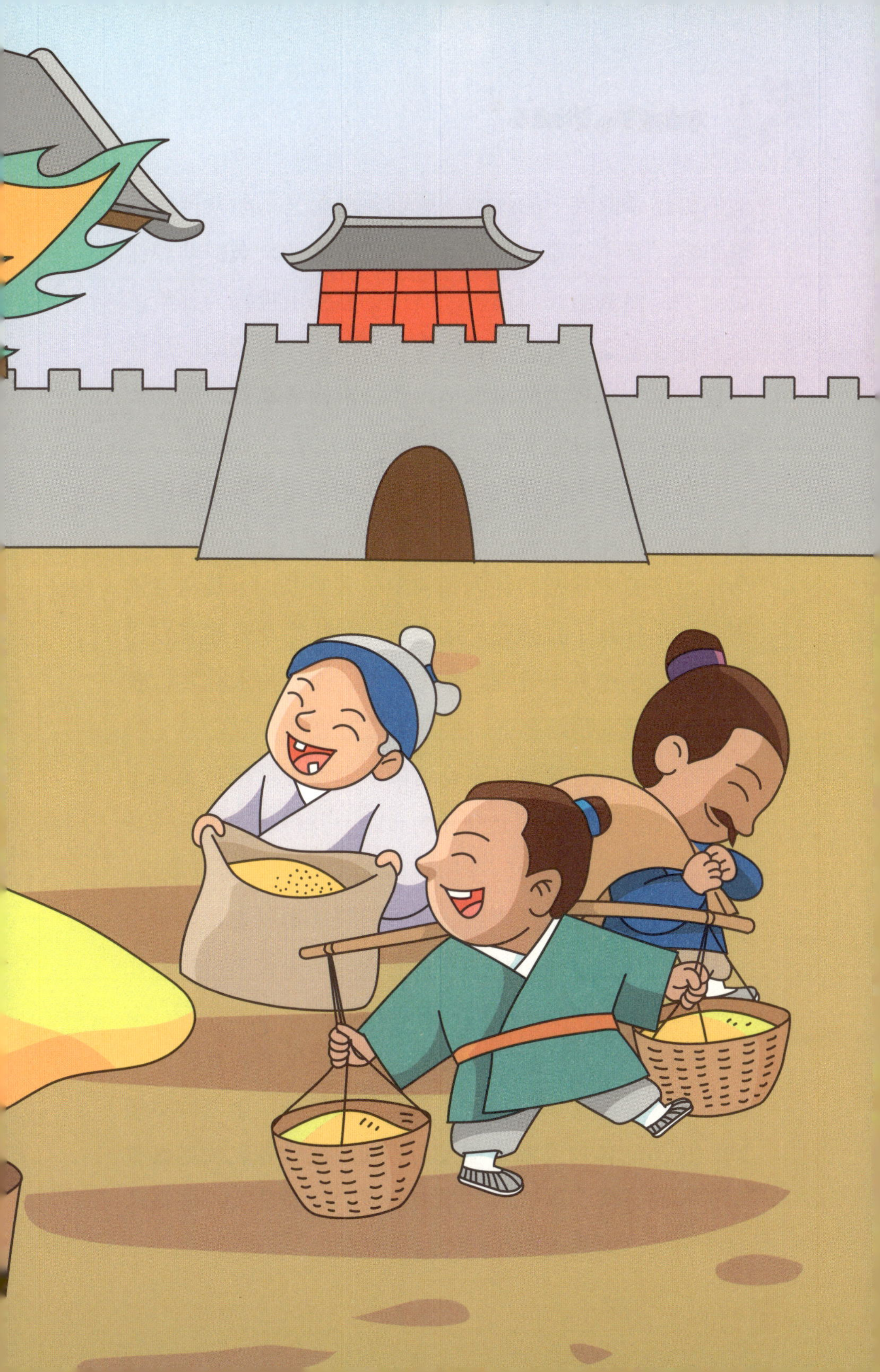

他们讲述夺取天下的谋略，所以各路起义军渐渐开始敬重李密。其中，翟让与李密的交情很密切，李密劝翟让说："瓦岗寨的兵马虽多，但一直靠外出抢掠为补给，没有粮食仓储，这不是长久之计。不如攻取荥阳，这样不仅有了一个较大的根据地，还可以储备粮食，等到兵强马壮后，再与他人争夺。"翟让听从了这个建议。

在攻打荥阳的过程中，他们遇到了隋炀帝派来镇压的军队，翟让曾与隋军主将张须陀交过手，次次惨败，所以很害怕。李密却认为张须陀骄兵必败，于是从容部署，一举打败了张须陀。这之后，翟让命李密建立自己的部队，李密善于管理，军纪严明，而且为人朴素，获得的财物都赏赐给部下，大家都愿为他效力。

李密本来打算攻打东都洛阳，但前去打探虚实的士兵被守军发现，守军立刻开始布防，并将这一情况飞马报告给了隋炀帝。翟让、李密转而攻破洛口仓，开仓放粮，前来取粮的百姓络绎不绝。洛阳的隋军都以为瓦岗军不过是一群饿急了去抢粮的乌合之众，结果被李密、翟让打得大败，瓦岗军从此威名大振。

617年，李密自立为魏公，手下的将领各有官职和封赏。很多起义军听到这个消息都来投奔，李密欣然接纳，让他们各自统率本部人马，其中比较有名的如秦叔宝、程咬金等。就这样，李密的势力日益壮大，部众达几十万人，河南大部分地区归其所有。

# 瓦岗起义

翟让的部下劝说翟让夺取李密的权力，翟让不听。李密知道这件事后就开始防备翟让，在小人的挑拨下，李密听信谗言，摆酒宴害死翟让。大多将领都很心寒，不安的情绪渐渐滋长。

618年，宇文化及兵变，杀掉了隋炀帝，留守洛阳的越王杨侗称帝，并招降李密，命他去讨伐宇文化及。最终李密打败了宇文化及，也损失了很多精兵良将。王世充趁李密兵困马乏时前来袭击，李密刚刚打败了宇文化及，有些轻视王世充，结果全线溃败，李密逃亡，单雄信等投降了王世充，曾经声名显赫的瓦岗军从此一蹶不振。

【知识拓展】

王世充：西域胡支（今甘肃临夏）人，隋朝末年群雄之一。开皇年间，屡建军功，隋炀帝大业年间，负责修建江都宫，平定杨玄感叛乱。隋炀帝被杀后，越王杨侗即位，王世充被封为郑国公，后来废主自立。秦王李世民攻破洛阳，王世充率部投降，免死流放蜀地，途中为仇人独孤修德所杀。

## 玄武门之变

626年,秦王李世民在长安城皇宫的北宫门玄武门发动政变,将其长兄太子李建成和四弟齐王李元吉杀死,取得太子地位,并继皇帝位,史称"玄武门之变"。

唐高祖李渊一统天下,将自己的三个儿子李建成、李世民、李元吉分别封为太子、秦王、齐王。在这三个人当中,李世民的功劳和威望都是其他两个人无法比拟的。在统一全国的过程中,李世民受命领兵东征西讨,平定各路诸侯,立下大功。而李建成则建树甚微,只因为是李渊的长子而被立为皇储。

李世民功勋名望与日俱增,李渊有了改立太子的念头。李建成自知功劳和声望都比不上李世民,担心自己的太子地位受到威胁,于是联合齐王李元吉,压制李世民。他们讨好李渊宠爱的妃子,向李渊进谗言诬蔑李世民,李渊打消了改立太子的念头。

后来,李建成、李元吉多次诋毁李世民,李渊信以为真,想要罢黜李世民,因为大臣的规谏才作罢。后来,李元吉又建议李渊杀掉李世民，李渊因为没有借口而拒绝。这些阴谋诡计，让李世民的部下十分担忧。房玄龄对长孙无忌说："仇恨已经酿成，一旦爆发，不只是秦王府风波不断，整个国家都会受到震动。为了国家的安定，不如劝说秦王先下手为强。"

李建成和李元吉也早有除掉李世民的打算，但是李世民有勇有谋，而且秦王府拥有一大批骁勇善战的将领，不易下手。于是他们就贿赂这些将领，企图将他们引为己用。李元吉暗中送给尉迟敬德许多金银财宝，并写信表明结交之意，但是遭到尉迟敬德的拒绝。李元吉大怒，便派刺客夜间行刺尉迟敬德。尉迟敬德知道后，将门户全部打开，刺客不敢进屋行刺。李元吉又在李渊面前谗言，将尉迟敬德关入监狱。程知节、房玄龄、杜如晦等人也被贬逐。李世民的亲信只剩下长孙无忌，留在秦王府。

恰好突厥率领数万骑兵进犯边疆，李建成便推荐李元吉代替李世民，率领大军北征突厥。李元吉请求让尉迟敬德、程知节和秦叔宝等人随军出征，并挑选秦王府的精锐将士，目的是想杀掉这些人，削弱李世民的实力。长孙无忌再次劝说李世民先下手为强，否则只能束手待毙。李世民下定决心。

于是李世民率领长孙无忌等人入朝上奏告发李建成和李元吉的阴谋，并预先在玄武门设下伏兵。李渊的一

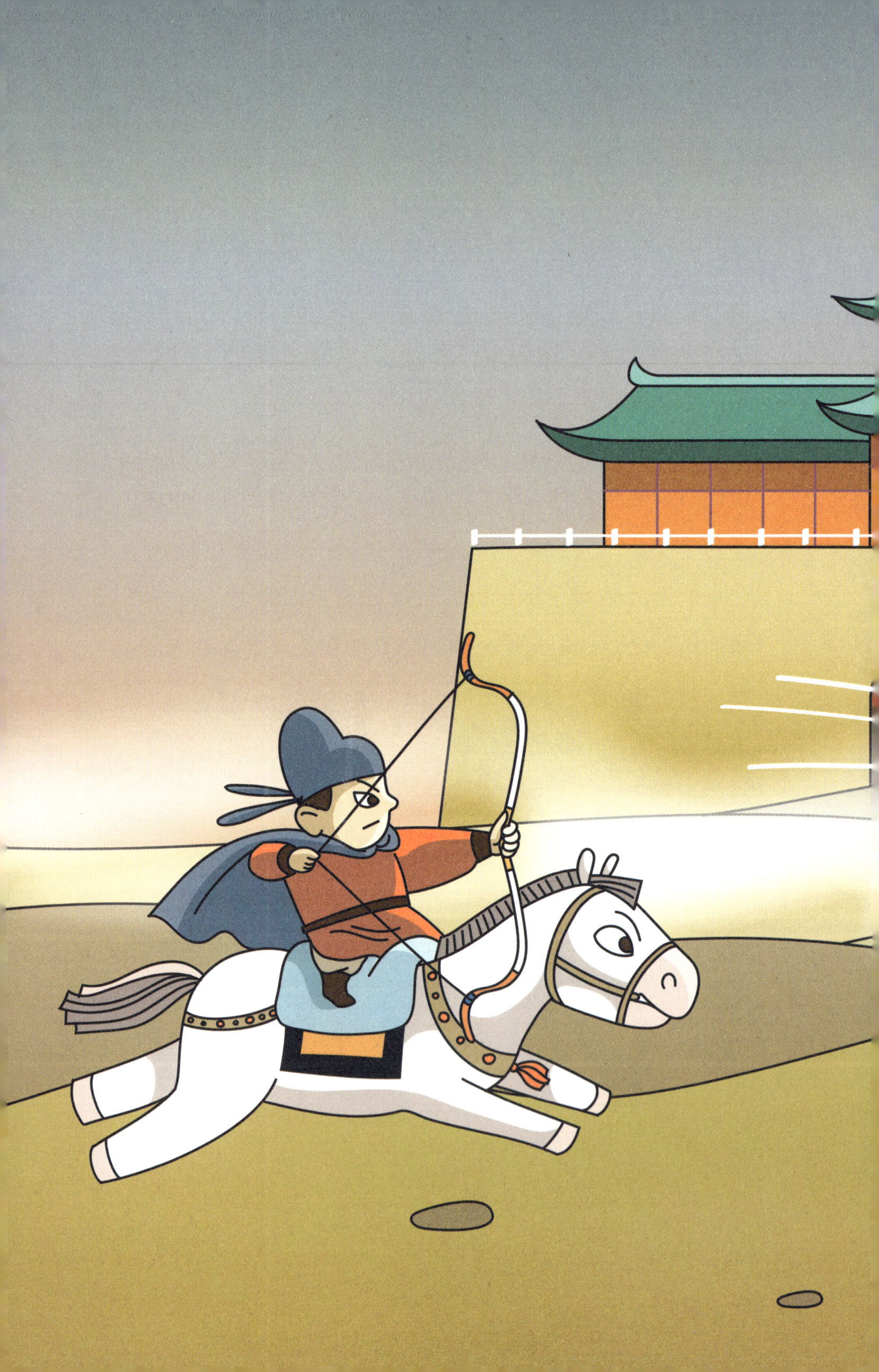

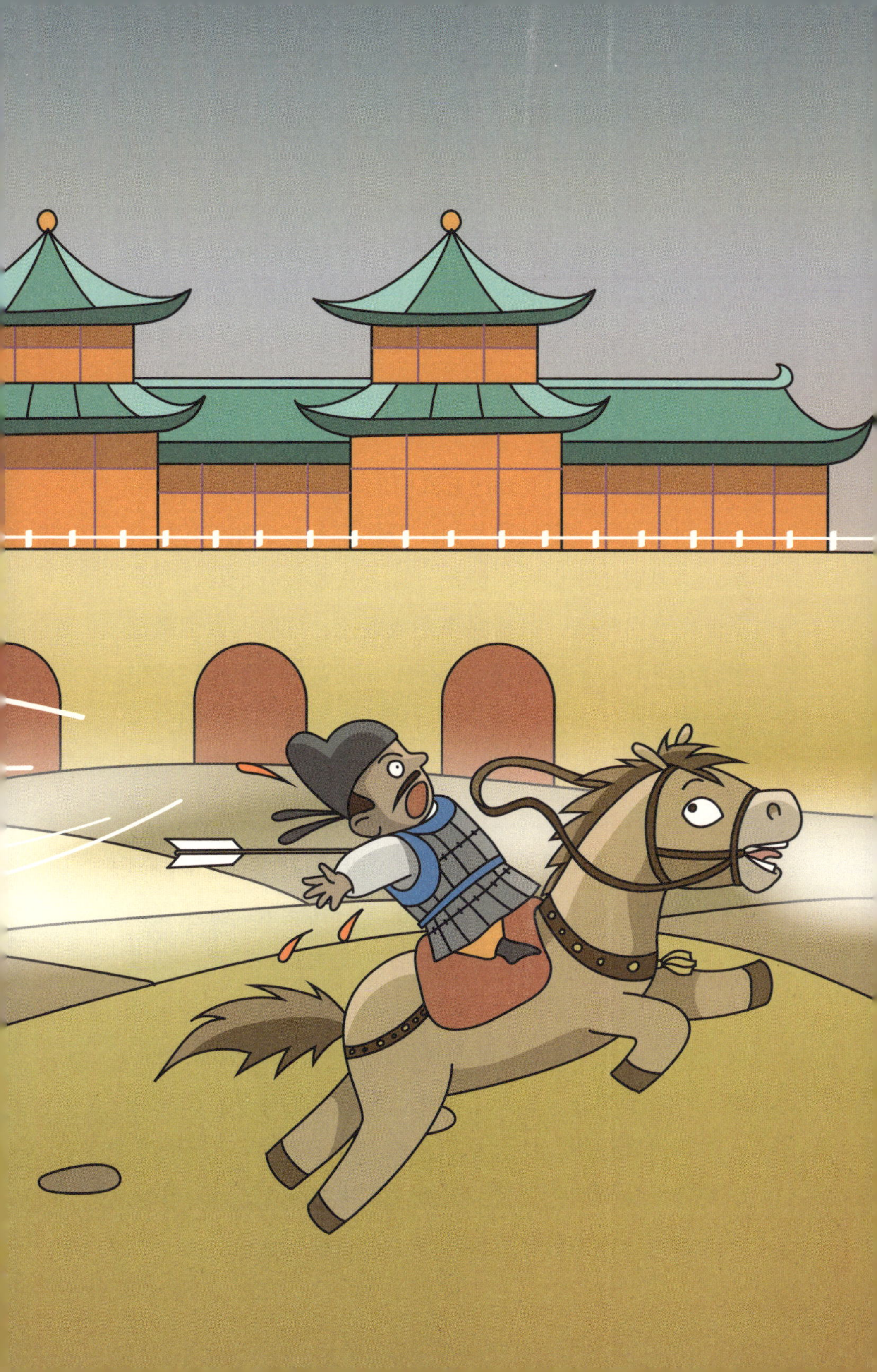

个妃子知道李世民上奏的大意，立即差人向李建成报告。李建成招来李元吉共同商议对策，李元吉建议托病不去上朝，整肃部队，对东宫和齐王府严加戒备，然后观察形势再做打算。李建成说："现在我们的防备已经非常严密，我们应当入朝亲自打听消息。"于是两人一起入朝，向玄武门进发。

当他们两人快要到达玄武门的时候，察觉到了异样，于是勒马返回。李世民从后面喊住二人，李元吉转过身来，想要射杀李世民，但是一连三次都没有把弓拉开。李世民弯弓搭箭，一箭将李建成射死。这时，尉迟敬德率骑兵赶到，乱箭将李元吉射下马。这时，李世民的坐骑受到惊吓，奔入树林，被树枝挂住不能行走。李元吉见状，迅速赶到，一把夺过李世民的弓，准备将他勒死。就在这危急关头，尉迟敬德骑马奔了过来，将李元吉喝退。李元吉向武德殿逃去，尉迟敬德追上，一箭将他射杀。

东宫和齐王府的将士听说主人遇到变故，立即整装赶往玄武门，与李世民手下的将士发生激烈战斗。李世民一面指挥将士抵抗，一面派尉迟敬德进宫。李渊正在等待朝见，只见尉迟敬德身披铠甲，手执长矛径直上朝，说："太子和齐王作乱，秦王已经将他们诛杀。秦王担心陛下受到惊扰，特意派我来保卫陛下安全。"李渊手足无措，大臣们建议说："太子和齐王本无功劳，因为妒忌秦王，设下奸计。现在秦王已将他们诛杀，秦王功

# 玄武门之变

劳大，威望高，四海归心。如果陛下立他为太子，将政事交给他打理，天下就不会再生事端了。"事已至此，李渊只好答应。

尉迟敬德回来后，见双方士兵还在激斗，于是割下李建成和李元吉的首级，展示给东宫和齐王府的将士。这些将士看到首级后，便放下武器不再战斗了。几天后，李渊立李世民为皇太子，将政务全部交给他处理。两个月后，李世民正式即位，即历史上有名的唐太宗。

## 【知识拓展】

秦琼、尉迟敬德：二人"转型"为门神是源于《西游记》和《隋唐演义》两部小说。民间流传最早的门神其实是神荼和郁垒。《山海经》中记载说：在东海之中有一座神山"度朔山"，山上有一株大桃树。大桃树盘曲三千里，在枝干延伸出去的最东北处，有一座"鬼门"，那里是众鬼出入的门户。把守着鬼门的两位神将，一位叫神荼，一位叫郁垒，防止害人的鬼进入人的家中。

## 贤后辅明君

**唐**太宗李世民是古代有名的明君,他开创了"贞观盛世",皇后长孙氏也被评价为"一代贤后",她知书达理,善解人意,总是能够及时指出丈夫身上可能出现的问题,凭借自己的贤良淑德,不仅赢得了后宫嫔妃们的尊敬,也让唐朝百姓交口称赞。

长孙皇后从小就喜欢读书,做事遵循礼法。长孙皇后的舅舅高士廉曾经招人给她卜过卦,占卜的人说她将来一定会贵不可言。

李世民继承皇位之后就册封长孙氏为皇后。为了免除李世民的后顾之忧,长孙皇后对待后宫的嫔妃和宫女都很温和。有一次有宫女犯了错误,皇上震怒之下要治罪。长孙皇后就下令让人把宫女绑起来投进了监牢,等到皇帝消了气,她又去为这个小宫女求情,最终救下了这个宫女。如果有嫔妃生病,长孙皇后会亲自去探视,然后派人送去药膳,后宫的嫔妃都以长孙皇后为榜样。

长孙皇后生活很节俭，不仅自己是这样做的，她也这样要求自己的子女这样做。有一次太子的奶妈对皇后说，太子寝宫的东西很少，显示不出太子的尊贵，请求能够赐给太子一些摆设以显示皇家气派。长孙皇后一口拒绝了，她说："做太子，最重要的不是用最好的东西，吃最好的食物，而是要立德，让自己的德行成为万民表率，这才是最重要的。"

长乐公主是长孙皇后与唐太宗的掌上明珠，她出嫁的时候唐太宗想多给她一些嫁妆，比永嘉公主多一倍。永嘉公主是唐太宗的姐姐，出嫁的时候大唐还正在建设中，所以嫁妆很简单。现在是贞观盛世，唐太宗完全有能力给女儿更多更好的嫁妆。魏徵（zhēng）反对说："永嘉公主是陛下的姐姐，是长公主；而长乐公主是您的女儿，是公主。既然前面多了一个'长'字，自古以来的礼制就告诉我们长乐公主的嫁妆不能多于永嘉公主。"长孙皇后知道这件事后不但没有生气，还大大赏赐了魏徵，认为他所言甚是，阻止了自己和皇帝犯错。最终长乐公主带着简单的嫁妆出嫁。

长孙皇后从不干涉朝政，但是她会观察朝廷中出现的问题，然后向太宗进谏，不过太宗最后做出什么样的决定，她一定不会干涉。魏徵以向皇帝进谏著称，有一次他在朝堂之上就批评了唐太宗，太宗下朝之后气

呼呼地对长孙皇后说："魏徵这个家伙，我一定要杀了他！"听完事情的来龙去脉，长孙皇后换上朝服，向太宗道喜。李世民莫名其妙，长孙皇后说："陛下能有这样直言不讳的臣子，是大唐的幸运啊！这也说明陛下您是一个得道明君啊，所以臣妾要恭喜陛下！"太宗听了，心里很开心，气也消了不少。

长孙皇后去世的时候只有三十六岁，葬在了昭陵。唐太宗在昭陵外的栈道上修建了一些房屋，让宫女住在那里，像侍奉活人一样侍奉皇后。后来他还在宫里建起了高台，终日眺望昭陵的方向。后来魏徵劝谏说这样不合礼制，唐太宗哭了一场，下令拆了高台。

## 【知识拓展】

高士廉：渤海郡蓚（tiáo）县（今河北衡水）人，唐代开国功臣，北齐清河王高岳之孙，其妹为隋朝右骁卫将军长孙晟之妻。妹夫长孙晟病逝后，他将妹妹接回家中，并厚待外甥长孙无忌、甥女长孙氏。高士廉看到李渊次子李世民才能出众，便将外甥女长孙氏许配给了他，就是后来的长孙皇后。其人善行政、文学，为李世民心腹，参与策划玄武门之变。

## 房谋杜断

**唐**初名相房玄龄和杜如晦有"房谋杜断"之称,他们一个多谋,一个善断,二人齐心合力辅佐李世民,被后世传为美谈。

当初隋文帝灭南陈,统一了全国,天下人都以为将要迎来天下太平的日子。那时,房玄龄和杜如晦都是隋朝的候补官员,一个叫高孝基的吏部侍郎素有识人之名,见到房玄龄就叹息说:"你将来必成大器,可惜我看不到你施展才华的那一天了。"见到杜如晦就说:"你有随机应变的才能,将来必定会是国之栋梁。"后来,房、杜二人先后成为李世民的谋士,一直在他身旁出谋划策。

李渊称帝并统一全国后,李家兄弟之间的王储争夺日益激烈,李世民的功劳最大,却是次子;李建成是长子,但没有什么功绩,总担心被弟弟李世民取而代之。所以,李建成虽然已经当上太子,但一直想方设法要谋害李世民。李建成意欲用毒酒毒死弟弟,但没有成功,又日夜不停地在高祖李渊面前诬陷李世民，致使李渊对李世民越来越不信任。面对这种情况，房玄龄劝李世民说："大王的功劳之大，人所皆知，理应继承皇位干一番事业。如今的形势已经不是大王个人的问题，还涉及国家的存亡，请您尽早做决断。"杜如晦也这样认为，两人一同劝说李世民诛杀李建成与李元吉。

李建成和李元吉也很忌惮房玄龄和杜如晦，他们一致认为，秦王府有智谋才略的人物中，房玄龄和杜如晦最值得畏惧。所以在打击李世民势力的过程中，李建成与李元吉极力在高祖面前诬陷他们二人，使房、杜二人遭到贬逐，高祖还下令不许他们私下与秦王见面。

李世民被形势所逼，反复思索房、杜二人的建议，终于发动了"玄武门之变"，杀掉了李建成与李元吉。高祖见木已成舟，便立李世民为皇太子，还颁布诏书说："从今天开始，军队和国家的各项事务，无论大小，全部先交由太子处理，然后再报告给朕。"李世民能登上帝位，房、杜二人功不可没。

李世民登基之后，与群臣商议众开国元勋的奖赏，淮安王李神通说道："我在关西起兵，第一个举起响应起义的大旗，而房玄龄、杜如晦等人所做的只不过是舞文弄墨，功劳竟然排在我的前面，我不服气。"太宗回答："叔父您确实是首先响应起义举兵的，但那时您也是为了自保。而且叔父也没有多少战绩，输多胜少。房玄龄、杜如晦等人运筹帷幄之中、决胜千里之外，为我大唐出谋划策，论功行赏，功劳自然应该在叔父之上。朕不能因为叔父是皇亲国戚就徇私。"李世民从正面肯定了房玄龄、杜如晦的功绩，并任命二人为宰相。

房玄龄通晓政务，又极有文采，日夜尽心为国操持政务，就怕出现一点儿差错；运用法令则很宽容，不对别人求全责备，并与杜如晦一同不遗余力地提拔有才能的年轻人，朝廷中的很多制度都是两个人一起制定的。唐太宗每次与房玄龄商量政事时，一定会说："这件事只有杜如晦才能做出决断。"等到杜如晦前来，最后也

一定会采用房玄龄的策略,这是因为房玄龄善于谋划,而杜如晦擅长做出决定。两人相互扶持,共同为国尽心尽力,所以唐人只要提到"贤相"二字,就一定会首推他们二人。

后来,杜如晦病重,唐太宗派太子前去探病,之后又亲自前去看望。杜如晦去世后,太宗每次得到好东西都会想起杜如晦,并派人将东西赐给杜如晦的家人。过了很久,每每提到杜如晦,太宗总会流下眼泪,并对房玄龄说:"你曾经与杜如晦一同尽心辅佐朕,而现在朕只能见到你,再也看不到如晦了!"

【知识拓展】

由于玄武门之变,李世民多次向史官要求阅读记录皇帝言行的《起居注》,一开始褚遂良不许,后来在他一再要求下,房玄龄与许敬宗将《起居注》删定为《高祖实录》《今上实录》给李世民。

## 谏臣魏徵

**魏**徵是唐朝初年杰出的政治家和史学家,是我国历史上著名的谏臣之一。

魏徵从小就是一个孤儿,在乱世之中,辗转流离,曾在多个诸侯手下任职,最后成为太子李建成的僚属,担任太子洗马。

玄武门之变后,有人向李世民告发,李建成的谋士魏徵曾经劝说李建成及早下手除掉秦王。李世民得知后非常不高兴,招来魏徵,问他:"你先前为什么出主意离间我们兄弟?"魏徵毫无惧色地回答说:"因为当时我是太子的僚属,就应当尽心尽力地为他着想。要是太子当初采纳了我的建议,也不会落得如此下场。"李世民素来器重他的才能,便改变了原来的态度,对他以礼相待,并引荐他担任詹事主簿,后来又封他为谏议大夫。魏徵见唐太宗大度能容,便倾尽全力辅佐。

唐太宗励精图治,多次召见魏徵,询问政治得失。

谏臣魏徵

魏徵态度刚直，知无不言，深得太宗的信任。一次，太宗派人征兵，宰相封德彝（yí）建议，有不满十八岁但是身体魁梧健壮的男子，可以一并征调。太宗同意宰相的建议，并发出敕令。但是魏徵坚决反对，始终不肯在敕令上签署。太宗发怒，责备他说："那些身体魁梧健壮的男子，不一定都未满十八岁，有的为了逃避兵役而虚报年龄。征调这些人有什么不对，你为什么这么固执呢？"魏徵回答说："治理军队在于法度，而不在于人数众多。陛下如果治军有法，足可以无敌于天下，为什么还要征调年幼之人来增加虚数呢？"顿了顿，魏徵继续说道："陛下刚即位时，立志要以诚信治国。可是这才没多久，陛下就已经多次失信了。"太宗惊讶地问："朕怎么失信了？"魏徵说："陛下即位时，曾经下令免除关中地区两年的赋税和劳役，关外地区则免除一年。现在时间还未过，陛下又是收租，又是征兵，这还不是失信吗？况且，陛下征兵，却要怀疑他们使诈虚报年龄，这是诚信治国之道吗？"太宗听后，不但没有生气，反而赐给魏徵一只金瓮。

唐太宗曾经问魏徵："历史上的君王，为什么有的人明智，有的人昏庸？"魏徵说："多听各方面的不同意见，就会明智；只听一方面的意见，就会昏庸。"他还举了历史上尧、舜和秦二世、隋炀帝等人的例子，

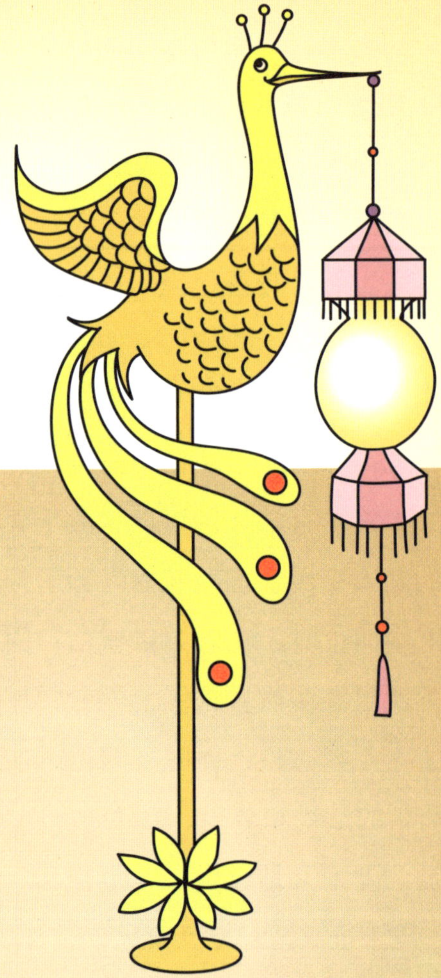

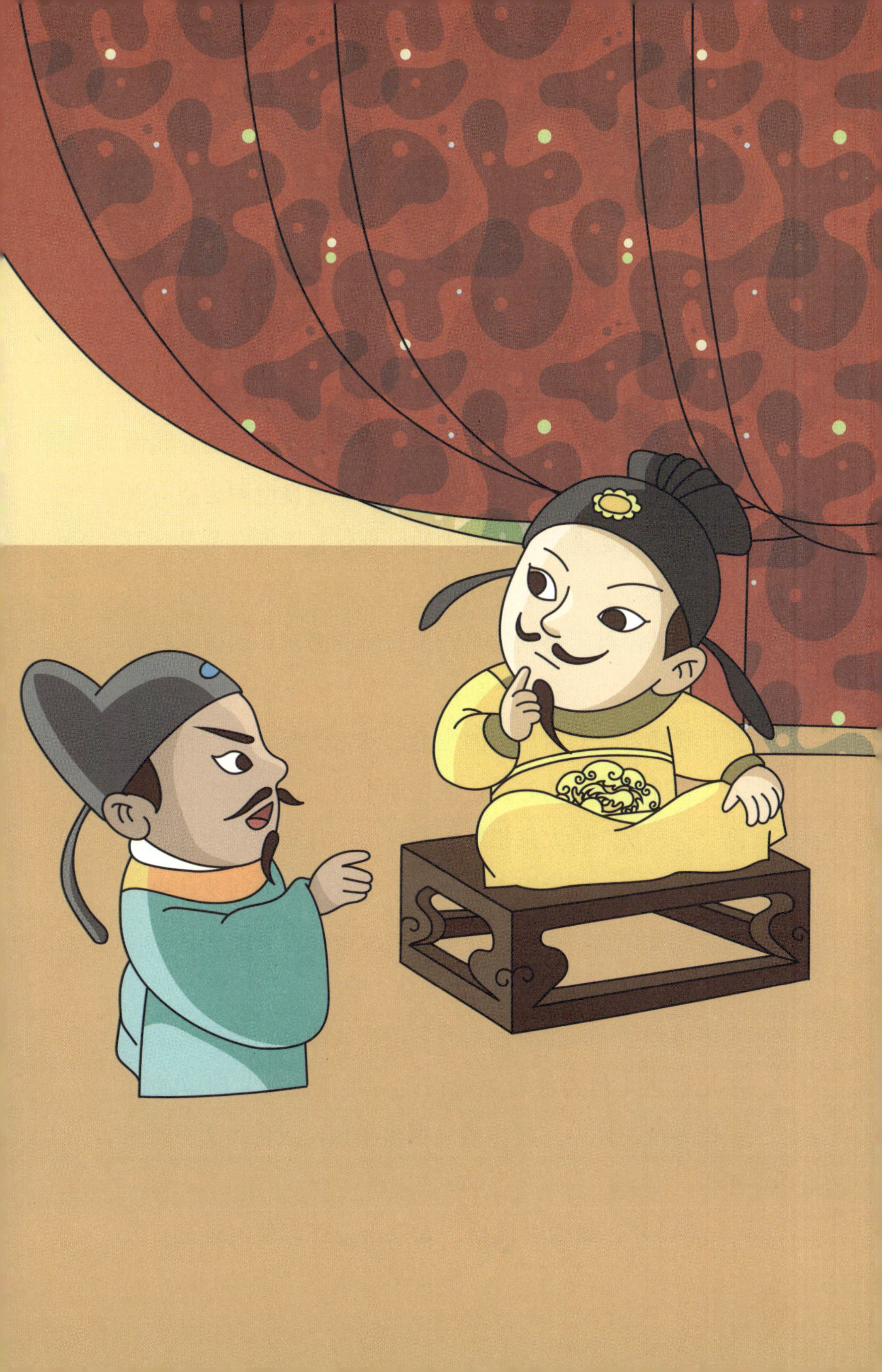

说:"治理天下的君王如果能够采纳下面的意见,那么下情就能上达,他的亲信也无法蒙蔽他了。"唐太宗听了连连点头。

有一次,唐太宗听信谗言,批评魏徵包庇自己的亲戚。经魏徵辩解,唐太宗知道自己错怪了他。魏徵趁机进言道:"我希望陛下让我成为一个良臣,不要让我做一个忠臣。"唐太宗惊讶地问:"难道良臣和忠臣有区别吗?"魏徵说:"有很大的区别。良臣拥有美名,君主也得到好名声,子孙相传,千古流芳;忠臣因得罪君王而被杀,君王得到的是一个昏庸的恶名,国破家亡,而忠臣得到的只是一个空名。"唐太宗听后十分感动。

魏徵善于劝阻皇帝的主意,常常犯颜直谏。有时碰上太宗非常恼怒的时候,他也面不改色,太宗也心生敬畏。有一次,唐太宗想要去秦岭山中打猎取乐,行装都已准备停当,但迟迟未能成行。后来,魏徵问及此事,太宗笑着答道:"当初确有这个想法,但害怕你又要直言进谏,所以很快又打消了这个念头。"还有一次,太宗得到了一只上好的鹞鹰,把它放在自己的肩膀上,很是得意。但当他看见魏徵远远地向他走来时,便赶紧把鸟藏在怀中。魏徵故意奏事很久,致使鹞鹰闷死在怀中。

643年,魏徵去世后,太宗十分怀念他,对左右大

臣说:"以铜为镜,可以正衣冠;以古为镜,可以知兴替;以人为镜,可以明得失。魏徵去世,朕失去了一面镜子啊!"

**【知识拓展】**

太子洗马:辅佐太子,教太子政事、文理的官员。秦朝就已经设立,有人推测是从"太子先马""太子前马"讹传而来。原意为"在太子马前驱驰",是太子出行的引导者,后引申为"太子的老师"。

# 一代女皇

武则天,是中国历史上唯一一位女皇帝,自称圣神皇帝,国号为周,史称武周。

武则天的父亲原本是个木材商人,后来随唐高祖李渊起兵反隋,因功被封为应国公,后来被任命为工部尚书、利州和荆州都督。在武则天九岁时,父亲因病去世,武则天母女便从荆州搬回长安居住。

武则天十四岁时,因为貌美被唐太宗召进宫当才人。在宫中,武则天言谈不俗,举止大方,深得唐太宗喜爱,被赐名武媚。唐太宗驾崩,按照当时朝廷的规定,尚未生育的宫人都要被送进佛寺或者道观。武则天被送到感业寺当尼姑。

一代女皇

唐高宗李治即位后不久，便把武则天召回宫中，加封昭仪。655年被立为皇后，不久她的儿子李弘被立为太子。

在武则天的支持和唆使下，高宗先后贬逐褚遂良，逼迫长孙无忌自杀，还罢黜了二十多位反对武则天的官员。从此，朝中站在武则天一边的大臣越来越多，政权渐渐落入她的手中。高宗患上"风眩病"，病发作时头晕眼花，看不见东西。因此，朝中政事常常让武则天代为处理。

随着势力的膨胀，武则天地位也愈加巩固。当高宗察觉到大权已落入武则天手中时，便把宰相上官仪召到宫中，商议废掉武则天的事。但此事马上被武则天探知，她迅速采取了对策，指使许敬宗诬告上官仪谋反，不久上官仪被杀。朝中和上官仪有往来的人，纷纷遭到贬谪和流放。从此，高宗对武则天言听计从。高宗每次上朝，武则天都坐在帘子后面，参与裁决朝政。所以，当时朝野上下，甚至是边疆少数民族，都称他们为"二圣"。

高宗驾崩，太子李显即位为唐中宗。不久，武则天又废唐中宗为庐陵王，立四子李旦为皇帝，是为唐睿宗。从此，所有的政事都由武则天裁决，睿宗被幽禁在宫中，不得过问政事。

武则天把朝中大权全部掌握在自己手里后，便立即

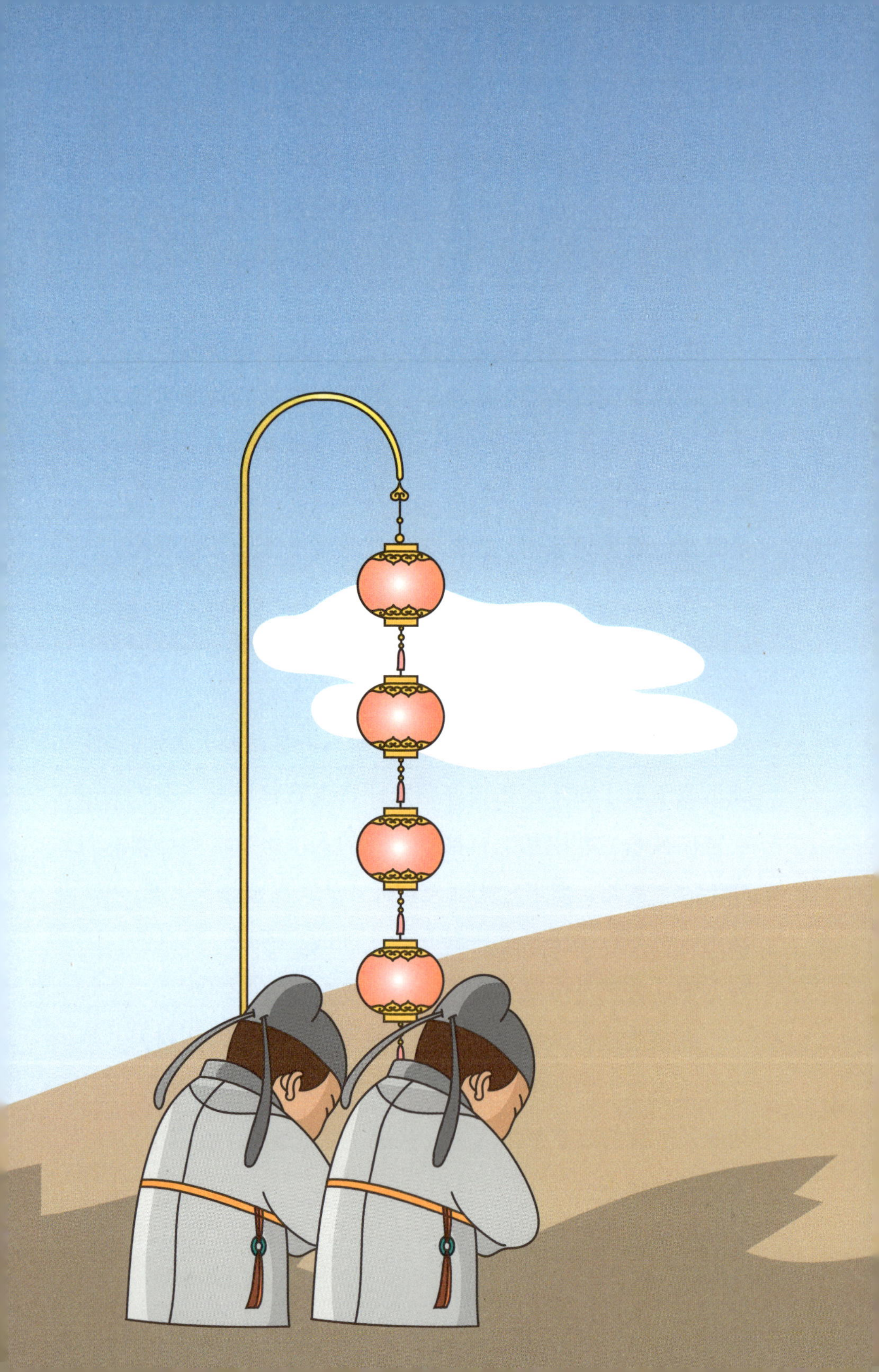

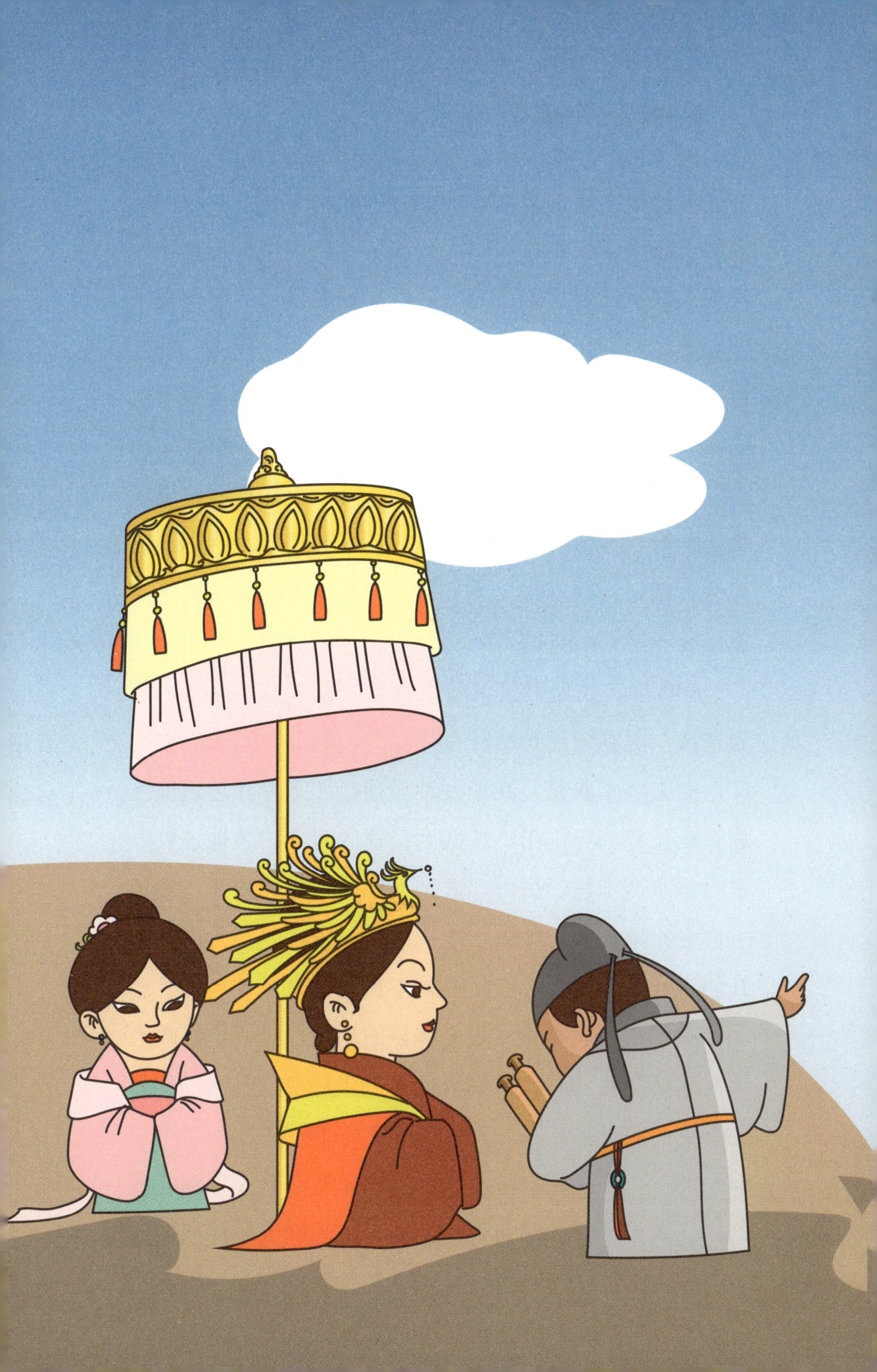

着手实施取代李唐的计划。她首先将东都洛阳改为神都，接着又改换了许多官职、宫殿的名称，旗帜的形状，以及朝中官员的服饰颜色等。之后，她对自己的五世祖宗一一追封，并在家乡文水建立了五代祠庙。接着，她又将自己的一些族人陆续安排在重要官位上，把反对自己的徐敬业、唐之奇、骆宾王、杜求仁、魏思温等贬了官。

684年，徐敬业等人在扬州起兵，十几天内召集人马十几万，发出《讨武檄文》后便发起进攻。武则天立即派兵镇压，只不过二十天，徐敬业等人的起义就迅速被扑灭。

690年，武则天把国号改为周，正式登基称帝。作为皇帝，武则天还是比较有作为的。她非常重视农业生产，大力奖励农桑，减轻百姓劳役，还下令让边远地区的军政长官施行屯田。在武则天执政时期，各地还兴办了一些水利工程。另外，武则天还非常重视人才，提拔了许多杰出人才，如狄仁杰、姚崇、宋璟等，为唐玄宗开创"开元之治"的盛世局面打下了基础。

到了武则天晚年，太子李显的地位已经确定，政治大权逐渐转移。但是，武则天的男宠张易之、张昌宗兄弟，还有他们的一些党羽，依然掌握着一部分权力。

705年，张柬之等人率领羽林军五百余人来到玄武门，会同太子，破门而入，径直奔往武则天所住的迎仙

宫，斩杀张氏兄弟，然后率众进入武则天的寝宫长生殿，迫使武则天传位给太子李显。

武则天被迁往上阳宫，不久，大唐的国号恢复了。

【知识拓展】

骆宾王：唐初诗人，与王勃、杨炯、卢照邻合称"初唐四杰"。684年，随徐敬业起兵讨伐武则天，并起草了史上著名的《为徐敬业讨武曌檄》。武则天读到"一抔之土未干，六尺之孤何托"，惊问是谁写的，有人说是骆宾王所写，武则天感叹道："宰相怎么能失去这样的人才！"

# 贤相狄仁杰

狄仁杰生于官宦世家，唐高宗李治在位时就已入朝为官。他性情耿直，当时有人误砍昭陵柏树，按律应该除去官吏名籍，而唐高宗要将这些人处死。狄仁杰立刻上奏说："他们的罪行不够处死。"唐高宗说："这些人砍了昭陵的柏树，朕不杀他们就是不孝。"狄仁杰坚持己见，面对一脸怒容的唐高宗仍继续说道："如果陛下处死了依照法律不该处死的人，那法律还如何取信于民？因砍一棵柏树而杀两个人，后世将如何看待陛下？"唐高宗最终还是听从了狄仁杰的意见，并升了他的官。

狄仁杰的才能和为人深受武则天赞赏，武则天称帝后升任他为宰相。692年，酷吏来俊臣网罗罪名，诬告狄仁杰等人谋反，这之前来俊臣曾奏请武则天下令：一经审问就承认谋反自己的人可以免死。狄仁杰知道后，直接承认谋反是真的。来俊臣因而没有继续为难狄仁杰，

而且对他不加防备。狄仁杰趁机从被子上撕下一块布，在上面写明自己的冤情，塞进棉衣里，对看守说："天气热了，请将我的棉衣交给我家人撤去丝、棉。"看守答应下来。狄仁杰的儿子拿到书信后便去觐见武则天，武则天立即质问来俊臣，来俊臣花言巧语，并伪造了狄仁杰等人的谢死罪表，骗过了武则天。

后来，一个曾被来俊臣诬陷的官员的儿子请求觐见武则天，武则天准许了。武则天问他有什么请求，他回答："我已经家破人亡，没有什么好说的，只可惜陛下的刑法被来俊臣等人玩弄。如果陛下不信我的话，就在

朝中选几个您信任的忠臣，提出他们谋反的罪状交给来俊臣，这些忠臣一定都不敢不承认自己没有谋反。"武后听了这话才稍稍醒悟，召见狄仁杰，问："你承认自己谋反？"狄仁杰回答："如果不承认，现在应该已经死于严刑拷打了。"武后又问："那为什么要写谢死罪表？"狄仁杰予以否认，武则天这才知道谢死罪表是伪造的，于是赦免狄仁杰等人，但将他们全部贬官，狄仁杰被降职为彭泽县令。

697年，狄仁杰被武则天召回朝中，恢复了宰相之职，再次成为武则天的左右手。第二年，武承嗣、武三思想做太子，多次指使人劝武则天说："自古以来的天子没有让外姓人继承王位的。"武则天犹豫不决，狄仁杰则说道："太宗皇帝亲自冒着刀枪箭矢平定天下，并将皇位传给子孙；而高宗皇帝又将两个儿子托付陛下，陛下怎么能将国家交给外姓？再说，姑侄能比母子还亲吗？陛下立自己的儿子为太子，后世代代相承，立侄子为太子，难道侄子还能为姑姑在太庙里祭祀？"武则天打消了立武承嗣、武三思为太子的想法。

698年，突厥大军进犯河北，朝廷任命狄仁杰为元帅出征，但大军还没抵达，突厥就退回了漠北，狄仁杰便将重点转向了安抚百姓上，不仅向朝廷提出很多好建议，而且身体力行，自己吃糠咽菜，散发粮食救济贫民，

禁止部下侵扰百姓，违反者必定斩首。这样一来，被突厥侵扰的地区渐渐安定下来。

狄仁杰年事已高，屡次提出辞官的请求，武则天都没有答应。700年，狄仁杰去世，武则天流着眼泪说道："这朝堂上面再也没有可以依靠的人了！"这之后，一遇到群臣无法决策的大事，武则天就会长长地叹息道："老天啊，为什么要这么早就把我的国老夺走呢？"

【知识拓展】

狄仁杰能够被当作"神探"，主要归功于一个荷兰汉学家、外交官，他叫高罗佩。他将自己写的16个中长篇和8个短篇故事集在一起，统称《大唐狄公案》，成功地塑造了"中国的福尔摩斯"形象，在中外文化交流史上留下重重的一笔。

## 姚崇和宋璟

**姚**崇在武则天当政时就在朝为官,深得武则天信任。姚崇认为张柬之稳重睿智,堪当大任,武则天就任命张柬之做了宰相。

唐玄宗李隆基继位,便任用姚崇做宰相。这时,姚崇已经担任过武则天、睿宗李旦两朝的宰相,而且每次都兼任兵部尚书,对边境地区军务很了解。唐玄宗遇事总要先听听姚崇的建议,而姚崇也都能对答如流。

姚崇精于政务,曾建议唐玄宗珍惜手中的爵禄赏赐,削去受宠的权贵之家的权势,少和大臣们开轻浮无礼的玩笑,积极采纳敢于直谏臣子的意见,唐玄宗都一一听从了。姚崇发现有不少富家子弟通过削发为僧来逃避徭役,便将这种情况报告给唐玄宗,并说道:"宣扬佛法并不能助长国运,鸠摩罗什也无法使后秦免于覆亡,梁武帝尊佛同样也有侯景之乱。只要陛下能够使百姓安居乐业,就是功德无量,哪里用得着那些假装剃度的奸诈

姚崇和宋璟

之徒为僧，让他们败坏佛法！"唐玄宗深以为然，命人筛查全国的和尚尼姑，发现有弄虚作假者立刻令其还俗，竟然查出一万两千余人。

姚崇自己没有住宅，寓居在寺庙里，因身患疟疾向玄宗请假，玄宗多次派使者前去探望，询问他的日常饮食。朝中一有大事，玄宗便派人去寺院询问姚崇的意见，后来索性要他搬到接待外国使者的四方馆居住。姚崇坚决推辞，唐玄宗说："朕安排您住在那里，也是为国家考虑，朕恨不得让您住到宫里好商议政事，您就不要再推辞了！"姚崇便住进了四方馆。

无奈姚崇的两个儿子都很不争气，仗着父亲的权势结交宾客，四处收礼，受到世人的非议。姚崇的一个亲信接受胡人的贿赂被发现了，玄宗想要将之处死，姚崇出面营救，唐玄宗很不高兴。姚崇因此屡次请求辞去宰相职务，并推荐宋璟代替自己为相。

宋璟在睿宗当政时曾经做过宰相，但因为得罪了太平公主被罢免。唐玄宗时，宋璟被任命为广州都督。玄宗曾派一个自己很宠幸的大臣前去考察宋璟，但宋璟竟没有和玄宗派去的人说一句话。唐玄宗知道之后慨叹了好久，越发敬重宋璟。

宋璟做了宰相之后，致力于选拔人才，根据每个人的才华授予其相应的官职。而且赏罚分明，从不偏私，

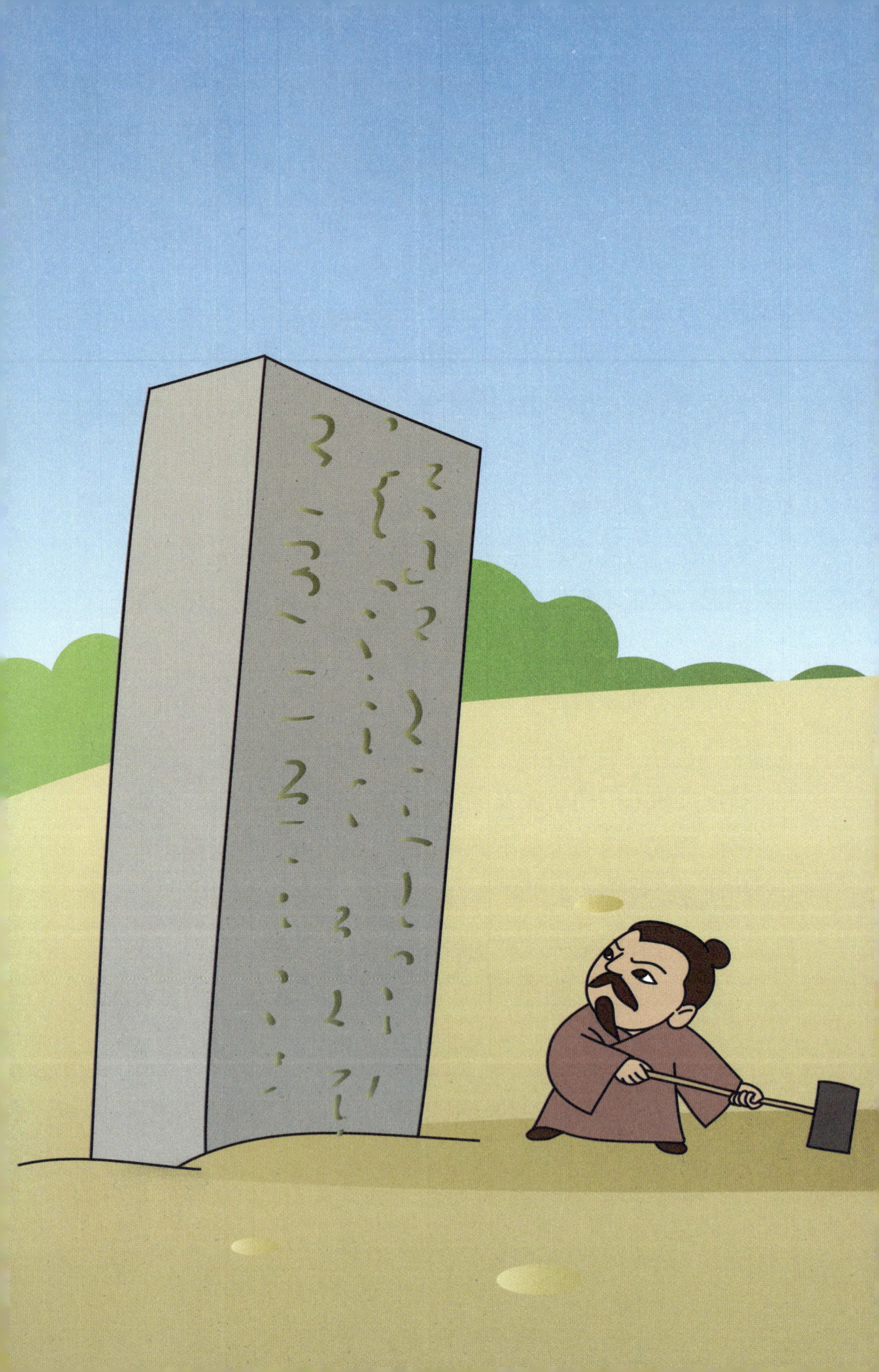

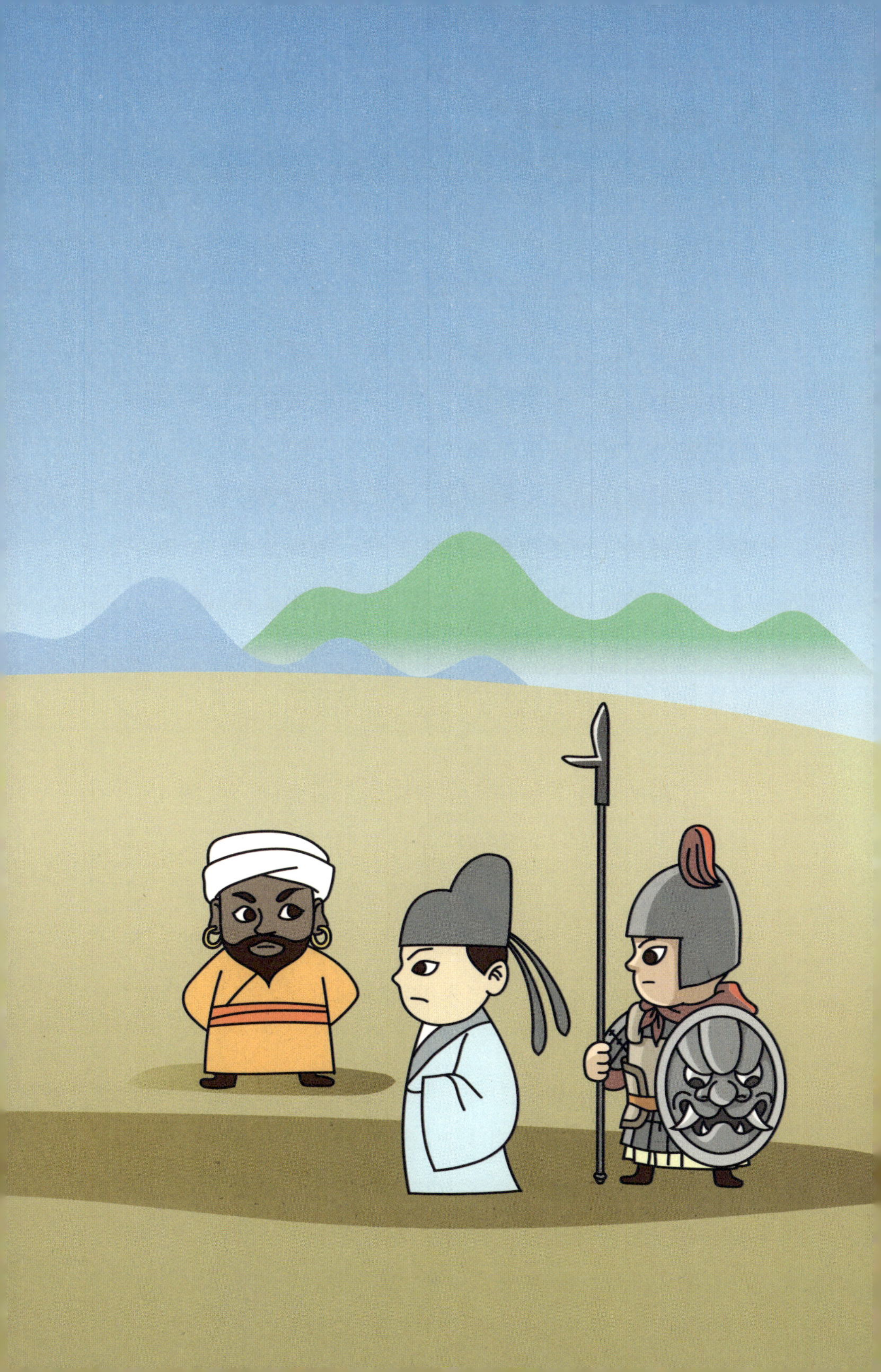

并敢于直言劝谏，以至于唐玄宗很敬畏宋璟，有时虽然觉得他的建议并不怎么合自己的心意，也会曲意听从。

一次，唐玄宗前往东都洛阳，经过一地，发现那里的道路狭窄，而且没有被很好地维护，便下令撤销了当地官员的职务。宋璟劝道："陛下正在巡视，如果只因为道路没修好就罢免官员，别的官员一定会因为害怕而让百姓都去修路，这样一来，百姓就要受苦了！"玄宗听了这番话立刻就要免去他们的罪，宋璟又说："陛下治了他们的罪，却又因为我的几句话而免了他们的罪，这是要让臣替陛下领受他们的感激之情啊。所以请陛下先让他们在朝堂听候治罪，然后再赦免吧。"玄宗深以为然。

广州的官吏百姓曾为宋璟建造了遗爱碑，宋璟知道后便向玄宗进言："臣在广州任职期间并没有什么了不得的政绩，只不过因为现在臣做了宰相，地位显赫，那些人才阿谀奉承。这种不良风气一定要杜绝，请陛下下令禁止为臣立碑。"玄宗采纳宋璟的意见，这样一来，其他各州都不敢为权臣立碑了。

姚崇和宋璟相继为相，姚崇擅长随机应变地处理政务，宋璟则擅长坚守法度、正道直行。两个人的志向操守虽然不同，但都尽心尽力辅佐玄宗，使得玄宗时期赋役宽平，赏罚分明，百姓得以安居乐业。

## 姚崇和宋璟

在唐代的贤相中,前有贞观年间的房玄龄和杜如晦,后有开元时期的姚崇和宋璟。每当姚崇和宋璟觐见时,玄宗总要站起身来迎接,他们离开时玄宗也要在殿前相送。二人齐心协力,为唐代的"开元盛世"鞠躬尽瘁。

**【知识拓展】**

神龙政变后,武则天移居上阳宫,百官都为唐朝复辟而相互称庆,只有姚崇哭泣不止。张柬之对他道:"今天难道是哭泣的时候吗?"姚崇道:"我和武后君臣一场,现在突然辞别,感到悲痛难忍。我随你们诛除凶逆,是尽臣子本分,今日泣辞旧主,也是人臣应有的节操,就算因此获罪,也心甘情愿。"

# 安史之乱

**大**唐自李渊开朝建国一度繁荣昌盛,到玄宗开元年间,更是盛极一时。然而在这升平之下,一场空前的危机正在酝酿。开元末年,唐玄宗重用奸臣李林甫、杨国忠,使得民不聊生,百姓深恶痛绝。

当时,唐朝东北边境少数民族奚和契丹与唐时战时和,很不稳定。唐朝在此设立平卢、范阳等藩镇,加强防御。范阳节度使张守珪,在同契丹的作战中屡建战功,很得玄宗赏识。胡人安禄山是张守珪帐下的一员战将,在一次战斗中失利,按罪当斩。行刑时,安禄山大叫:"杀我安禄山,还有谁能破契丹?"张守珪不能决断,于是把安禄山送到长安,请唐玄宗处置。唐玄宗赦免了安禄山。

安禄山口齿伶俐,又善于阿谀逢迎。平日,从将相到宦官,不论尊卑,他都笼络,遇有机会便设宴相请,或行贿送礼以取悦于人。因此,唐玄宗听到的是对安禄

山的一片赞美之声。于是，唐玄宗在温泉宫初幸杨玉环的第二年，擢升安禄山为营州都督。

安禄山是个大腹便便的大汉，有一次，玄宗指着他的大肚子问："爱卿的腹内到底装着何物？"安禄山答道："并没有什么稀奇之物，这里满装的都是对陛下的赤胆忠心，故而如此庞大。"玄宗见其应答机敏，大加赞赏。

安禄山很早就发现杨玉环对玄宗的影响力，所以他想方设法取得杨玉环的信任。一次安禄山看到玄宗和杨玉环并排坐在一起，他首先向杨玉环行礼拜见。玄宗一见，面露愠色，责其无礼。

安禄山坦然答道："如陛下所知，臣乃胡人，胡人之礼，总是以女为先。所以臣依胡俗，先朝拜国母。国母乃是大唐的母亲，臣得以拜见如此花容月貌的国母，实在是荣幸之至。"杨贵妃听后心花怒放，玄宗也随之放声大笑。于是，安禄山又趁机说："臣请为国母跳胡人之舞，为国母遣怀。"然后，他做出滑稽的姿态为杨玉环跳舞。

在杨玉环的请求下，玄宗把长安御苑的永宁园赐给安禄山作为他的府邸，又让他与杨家一族的杨国忠等人结成兄妹之谊。安禄山却不满足地说："臣冒昧奏请，容臣将美丽的国母娘娘奉为臣的母亲。"

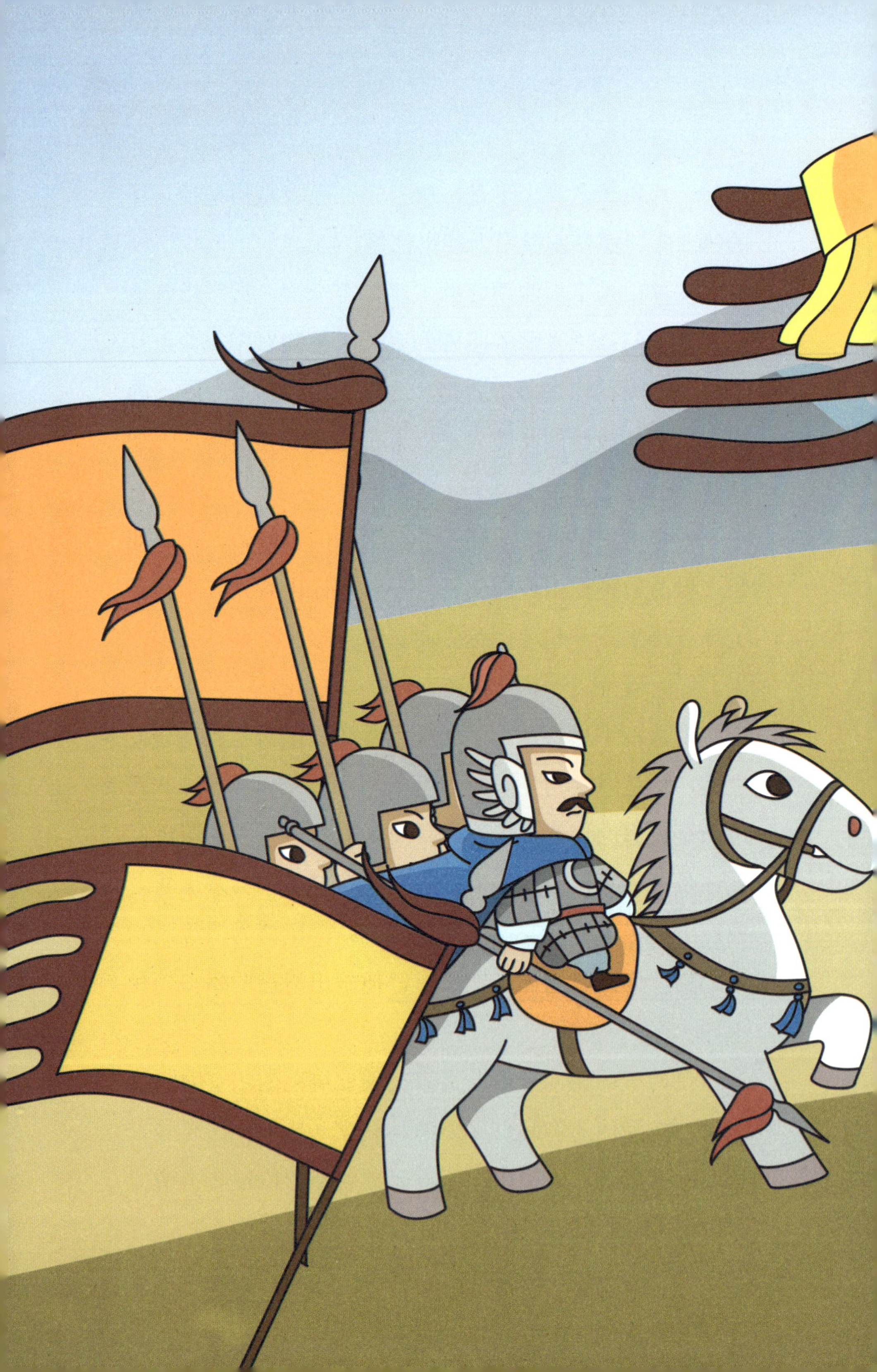

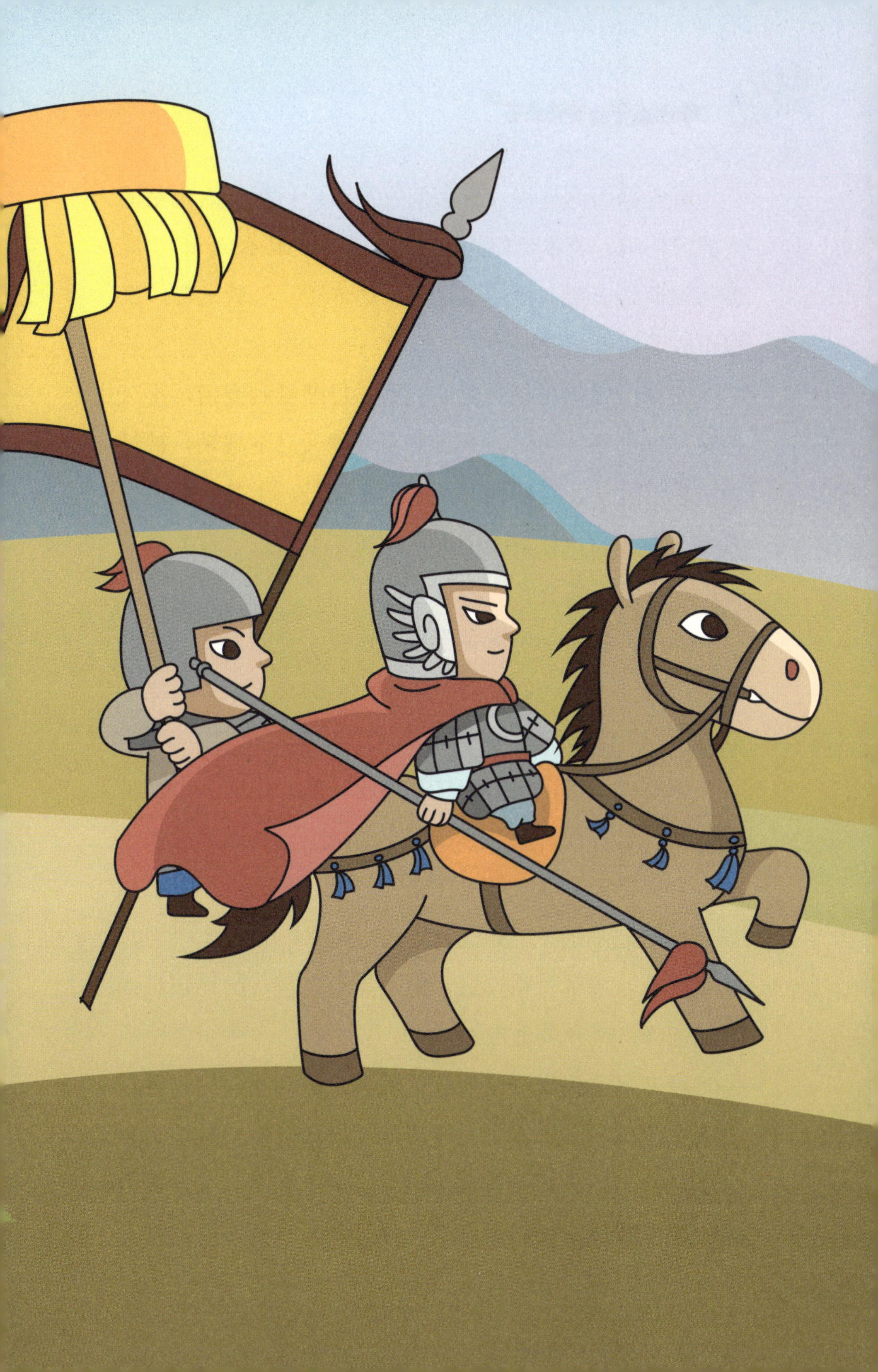

听安禄山这样说，玄宗问安禄山："莫非这也是胡人的习俗吗？若奉贵妃为母，朕又是你的什么人？""此事何须臣再奏明，臣本就是陛下的赤子。"就这样，安禄山成了杨贵妃的养子。

安禄山凭借与杨贵妃的关系，日渐受到宠信，不久便被拜为都督。同时，由于他在边疆又立下战功，被封为平卢节度使。之后他又大破奚和契丹，于是兼任御史大夫，不久又兼任范阳节度使和河东节度使。自此，安禄山一身兼三镇节度使。

但是，安禄山不满足于现有地位，开始窥视玄宗的帝位。经过多年苦心经营，安禄山已拥兵十余万，雄踞北方，伺机起事。

李林甫死后，杨国忠接替宰相。安禄山的势力已足以与杨国忠抗衡，威胁到杨国忠的地位。杨国忠及太子李亨多次警告玄宗安禄山有谋反之心，可玄宗听不进去。755年，安禄山联合史思明从范阳起事，举兵十余万，长驱南下。叛军一路挺进，如入无人之境，沿途郡县或开城迎降，或弃城逃走。

唐玄宗得到安禄山叛乱的消息，最初不相信，等叛军攻至河北，玄宗才仓促布防，逼迫哥舒翰率领二十万大军勉强出战，结果惨败。唐玄宗决定逃离长安，留下太子李亨督抚军民。唐玄宗一行来到马嵬坡时，众将士

请求杀掉杨国忠父子和杨贵妃,玄宗不忍,最后杨国忠死于乱刀之下,杨贵妃缢死。然后一行人兵分两路,逃入四川。

"安史之乱"持续了八年之久,强盛的唐王朝从此一蹶不振,开始走向衰落。

## 【知识拓展】

《长恨歌》:白居易任盩厔(zhōu zhì)(今西安周至)县尉时,曾与友人陈鸿、王质夫到马嵬驿附近的仙游寺游览,谈及李隆基与杨贵妃的遗事。王质夫认为,像这样突出的事情,如果没有大手笔加工润色,就会随着时间的推移而消亡。他鼓励白居易以诗记之。于是,白居易写下了这首长诗。因为长诗的最后两句是"天长地久有时尽,此恨绵绵无绝期",所以就称这首诗叫《长恨歌》。诗的主题是"长恨",实是长爱,感染了千百年来的读者。

# 名将郭子仪

**大**唐经过"贞观之治"和"开元盛世"的太平安乐,民不知战,兵戈已弃,安禄山从范阳起兵,河北各县望风披靡,守军不是逃跑就是投降,只用了三十五天时间就打到了东都洛阳。在国家生死存亡的关键时刻,涌现出一批有勇有谋的卓越将领,为国而战,郭子仪就是其中之一。

郭子仪联合李光弼分兵进军河北,并共同击败了史思明,收复了河北。第二年,郭子仪与回纥兵联手平定河曲。

757年,郭子仪开始筹划收复失陷的东都洛阳和西京长安。他先派人秘密潜入河东,与陷于叛军中的唐朝官员取得联系,让他们作为内应,而后率兵向河东进发。大军将至,作为内应的将士们杀死叛军一千多人,翻越河东城来迎接郭子仪率领的军队。叛军仓促集结起来阻击郭子仪,结果被郭子仪打得溃不成军。叛军逃至安邑

名将郭子仪

城，守城的官兵打开城门让叛军进城，等到叛军的人马进去一半时又将城门关闭，并袭击了入城的叛军，将之全部斩杀，郭子仪则收拾了剩下的敌军，于是河东全境平定下来。

这一年，自行登基的唐肃宗也决意收复两京，他犒劳了诸位将领，并请求他们进攻长安，特别对郭子仪说："事情成败、国家存亡就在此一举！"郭子仪郑重回答："如果这一战不能胜利，我一定会以死报国！"郭子仪认为回纥兵精，能征善战，之前在平乱的战斗中也颇有战绩。为了能够顺利收复失地，他向肃宗推荐了回纥可汗，让他帮助平乱，肃宗采纳了郭子仪的建议。于是，广平王李俶率领着唐军及回纥、西域各国士兵共十五万，号称二十万，从凤翔出发，开往长安。

大军在长安城西排开阵形，李嗣业为前军，郭子仪为中军，王思礼为后军，叛军十万人也展开阵势。战斗异常惨烈，叛军凶猛，官军不敌，后来幸好有回纥大军全歼了叛军伏兵，大大打击了叛军的士气，最终击败叛军，收复了长安。

唐军乘胜东进，郭子仪率兵包围卫州。叛军将领安庆绪前来援救，郭子仪命三千弓箭手埋伏在军营垒墙的后面，对他们说："一旦我引军后撤，叛军必定会紧追不舍。到时候你们就登上垒墙，擂鼓呐喊并开弓放箭。"

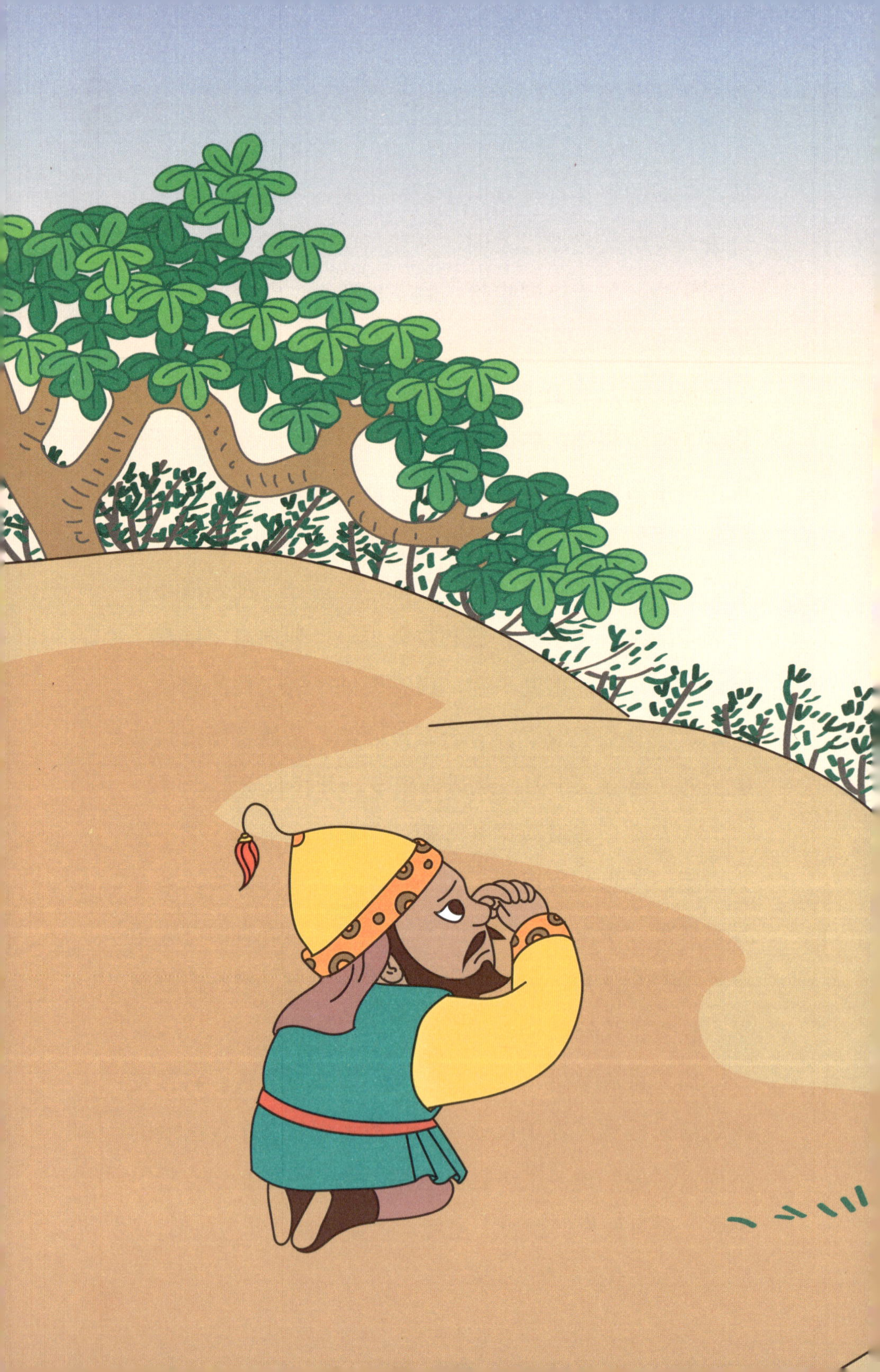

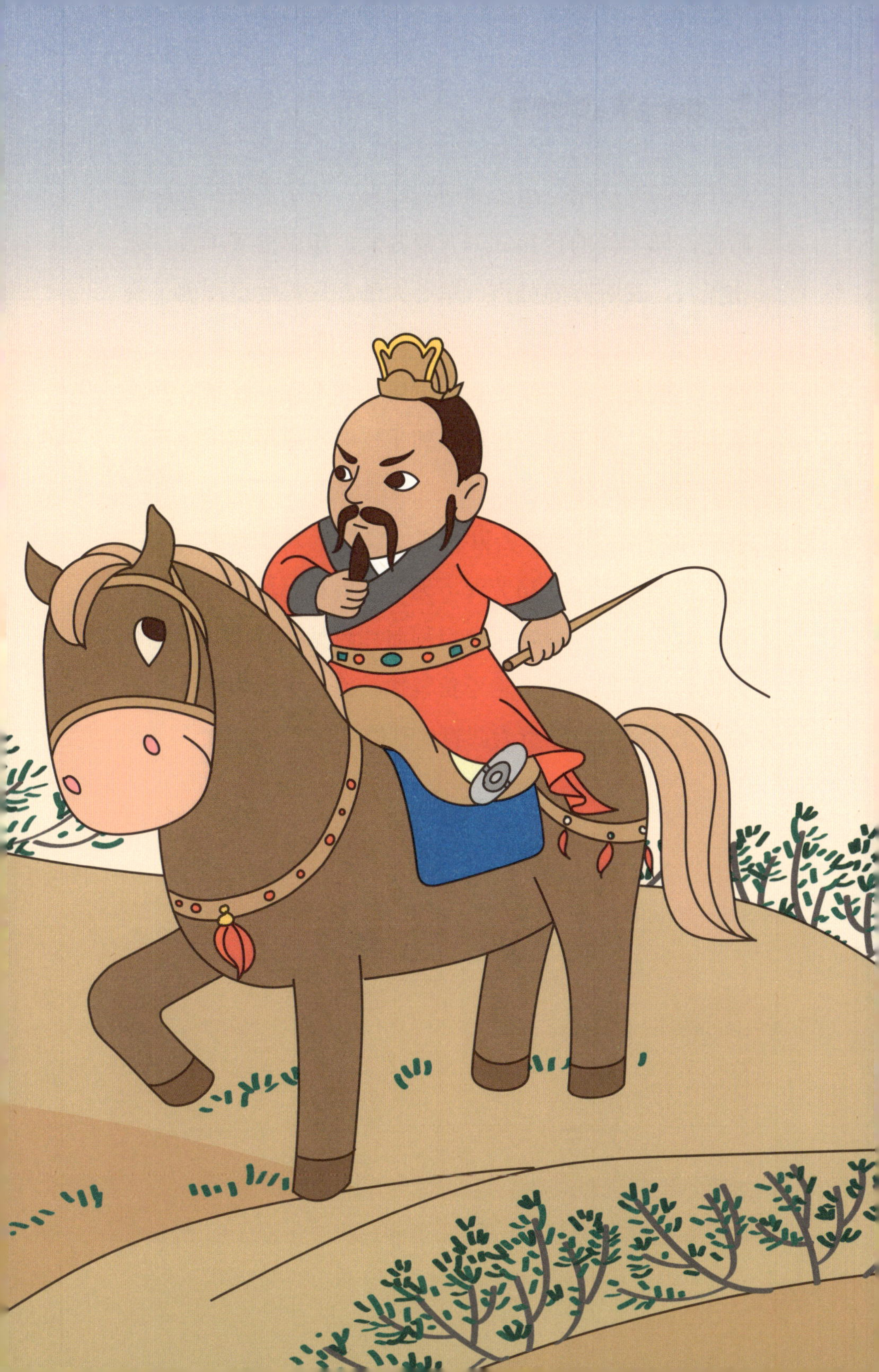

郭子仪与安庆绪交战，并假装败退，叛军追到军营垒墙附近，郭子仪的伏兵立刻万箭齐发，叛军措手不及，死伤无数，又听阵阵鼓声，军心大乱，只得败退。郭子仪又率兵追击，安庆绪大败，郭子仪趁机拿下了卫州。

"安史之乱"平定后，大唐一蹶不振，吐蕃、回纥乘虚而入，连年侵犯边境。郭子仪多次率军前去镇压，为国家鞠躬尽瘁，唐代宗一直都很信任他。

781年，郭子仪去世。郭子仪以一人之躯担当国家安危将近三十年，功劳天下无双，但从不居功，只要皇帝一纸诏书，他必定星夜启程前往觐见，所以即使有小人以谗言诋毁，皇上也不猜疑他。他八十五岁时寿终正寝，子孙满堂，是身为武将少有的福分。

【知识拓展】

回纥：维吾尔族祖先。回纥人在唐德宗贞元四年（788年）要求将其汉字改为"回鹘"，意为其族有"鹘鹰"般的勇猛，因而唐中期以后便称其作回鹘人。

# 李光弼智守太原

"**安**史之乱"爆发，李光弼在郭子仪的举荐下，担任河东节度副使，率兵先后打败常山、九门等地的叛军，并与郭子仪共同在嘉山大败史思明部队。后来，长安失守，李光弼率军驻守太原。

当时，叛将史思明从博陵发兵，蔡希德从太行发兵，高秀岩从大同发兵，牛廷介从范阳发兵，四路大军共计十万多人，气势汹汹地向太原攻来。李光弼手下的精兵强将都前往北方支援，守城的士兵只有不到一万人，而且大都是没有经过仔细操练的新兵。史思明认为太原兵力弱，简直是唾手可得，如果能拿下太原，自己的大军就可以长驱直入，直取北方。

太原城中的将士都十分害怕，紧急商议修缮城防，以抵御敌人。李光弼却不赞同，他说："太原城城墙的总周长有四十多里，如果在叛军即刻到来的时候开始修缮城防，等敌人来了，我们哪里还有力气去打仗？"

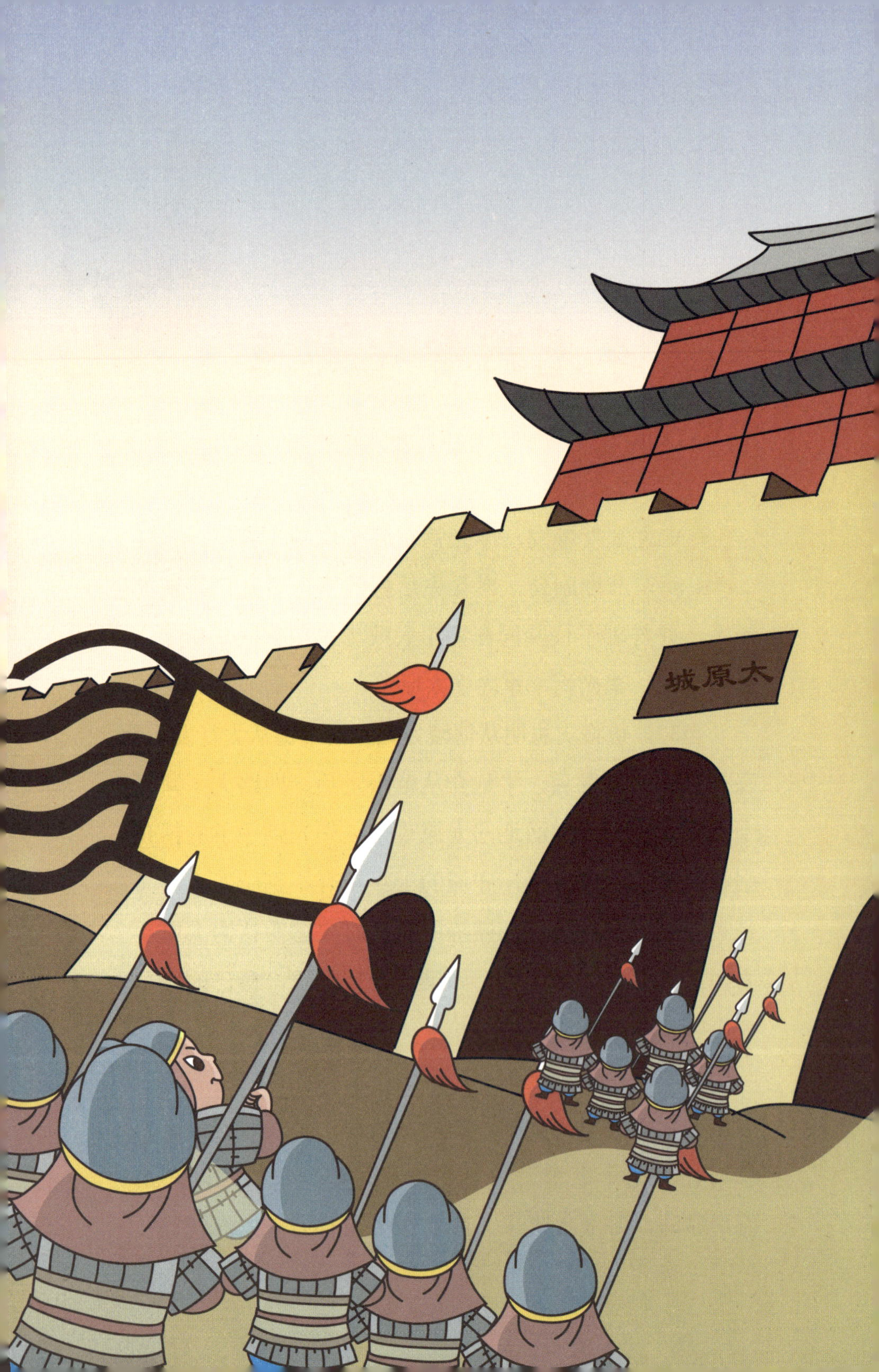
太原城

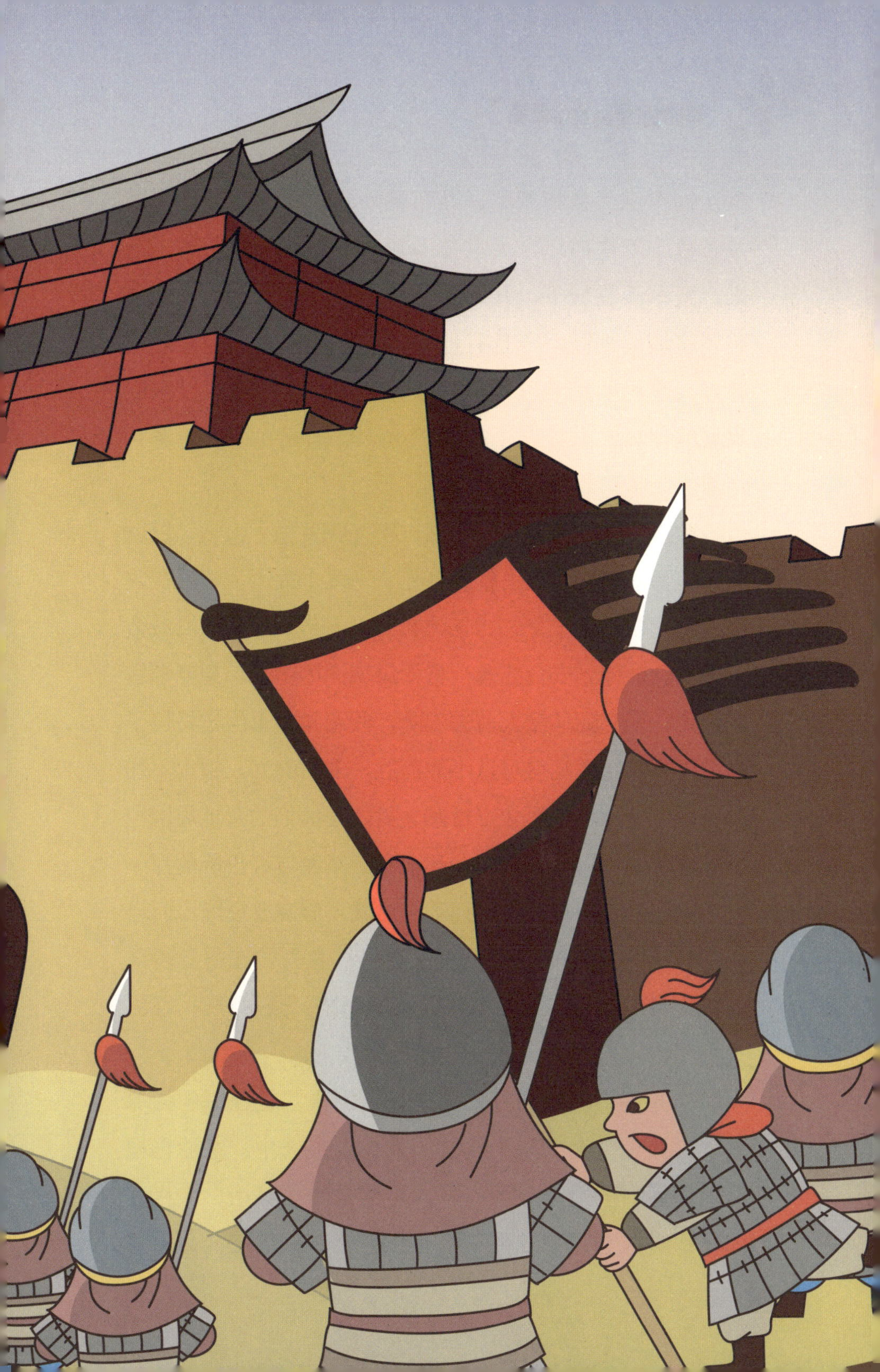

李光弼率领士兵和城中百姓在城外开凿壕沟，并让军民做了数十万块砖坯，大家都不知道他到底有何用意。后来，叛军兵临城下，开始攻城，李光弼就命令兵士们用砖坯将城墙加高，一旦有地方被损毁，就立刻用砖坯修补好。史思明见难以攻下太原城，就派人去崤山以东取攻城的器械，并让三千胡兵护送。李光弼知道后便遣兵将前去阻截，将胡兵尽数杀死。

敌人一开始攻得极为凶猛，李光弼就做了大炮，以巨石为炮弹，一发射出去就能打死二十多个敌人。叛军在攻城战中死伤将近十分之二三的兵力，于是后撤，在离城数十步以外的地方安营扎寨，将太原城团团围住，想要把官军困死。李光弼又派人前去诈降，假意与叛军约定好日子出城投降，叛军觉得可以不战而胜，非常高兴，根本不加防备。李光弼趁叛军守卫松懈之机，在他们的营地周围挖掘地道，之后用木头顶住。到了和叛军约定好投降的那一天，他派手下的将领带着几千人出城，假装要投降，而自己率领士兵站在城墙上。叛军都将注意力放在将要投降的将士身上，突然自己军营的地面塌陷，叛军顿时大乱。史思明围攻太原一个多月，都没有攻下。

李光弼不但很会打仗，还很会用人。他在军中招募人才，即使是会一些小技艺的人也会被选中，之后再根据他们各自的能力分派岗位，可谓是物尽其用、人尽其才。那时，李光弼发现军中有三个会铸钱的工匠，而且这三人非常善于挖掘地道，于是命他们主持挖掘地道的工作。当叛军士兵在城下仰着头高声骂阵时，李光弼就派人从挖好的地道中，把他们拖到城里，以至于那些叛军走路时都盯着地面，生怕突然被拖走。叛军用云梯和土山作为攻城器械大举攻打太原城时，李光弼则用挖地道的方法来对付，让这些大型的攻城器械刚被运到城下就陷入地里不能移动。

安禄山死后，其子安庆绪取而代之，命令史思明回归范阳，留下蔡希德等人继续围攻太原城。李光弼见敌人兵力分散，便亲自率领敢死队出城袭击，大破蔡希德军，蔡希德逃走，太原城终于转危为安。

【知识拓展】

李光弼：营州柳城（今辽宁朝阳）人，唐朝中期名将，足智多谋，治军威严而有方，善于出奇制胜，以少胜多，与郭子仪齐名，世称"李郭"，被誉为"自艰难已来，唯光弼行军治戎，沉毅有筹略，将帅中第一"。

## 张巡死守

张巡本为文官，但精通兵法，在"安史之乱"中为国平乱，素有战功。

安庆绪自立为帝，派部将尹子奇率大军十三万进攻军事重地睢阳，睢阳守将许远向张巡求援，张巡立即率兵进入睢阳。张巡有士兵三千人，与许远合兵共六千八百人。叛军全力攻城，张巡亲自指挥督战，激战十六日。

张巡见叛军一直围城不散，便杀牛设宴，犒劳士兵，率军直冲入叛军中。叛军不敌，大败。第二天，叛军又重新集结，兵临城下，张巡再次出战，多次挫败叛军的进攻。

尹子奇并不死心，增加兵力后继续攻城。一天夜里，张巡在城中击鼓整队，做出将要出击的样子，叛军整夜严加戒备，可直到天亮也不见张巡的军队，于是放松了警惕，解下盔甲休息。这时，张巡率骑兵突然杀出，直

张巡死守

冲敌营，叛军大乱。张巡想要射杀尹子奇，但又不认识他，便用没有箭头的箭去射叛军，被射中的叛军都以为张巡的箭已经射完，马上去报告尹子奇。张巡知道了尹子奇是谁，命令手下人射击，一箭正中尹子奇左眼，尹子奇疼痛难当，只好后撤，但仍不放松对睢阳城的包围。

当时，许叔冀在谯郡，尚衡在彭城，贺兰进明在临淮，离睢阳都不算远，可谁也不率兵来援。面对日益艰难的局面，张巡命手下将领南霁云率领三十名骑兵突围去临淮求援。南霁云一出城，数万叛军前来阻截，南霁云左冲右突，所向披靡，到达临淮。

贺兰嫉妒张巡、许远的名声威望和功劳业绩超过自己，不肯出兵援救。他欣赏南霁云的英勇，硬要留他下来，陈酒肉，备歌舞。南霁云情绪激昂地说："我来的时候，睢阳城内的人已经有一个多月没东西吃了。我即使想一个人吃，也不忍心这样做，即使吃也咽不下去。"于是抽出随身佩刀砍断一个手指，鲜血淋漓，来给贺兰看。

南霁云明白贺兰终究不会出兵，飞马离去。快要出城的时候，抽出一支箭射向佛寺的高塔，箭射中在塔上，有一半箭头穿进砖里。他说："我这次回去，如果打败了叛贼，一定回来灭掉贺兰！这一箭就作为我报仇的记号。"

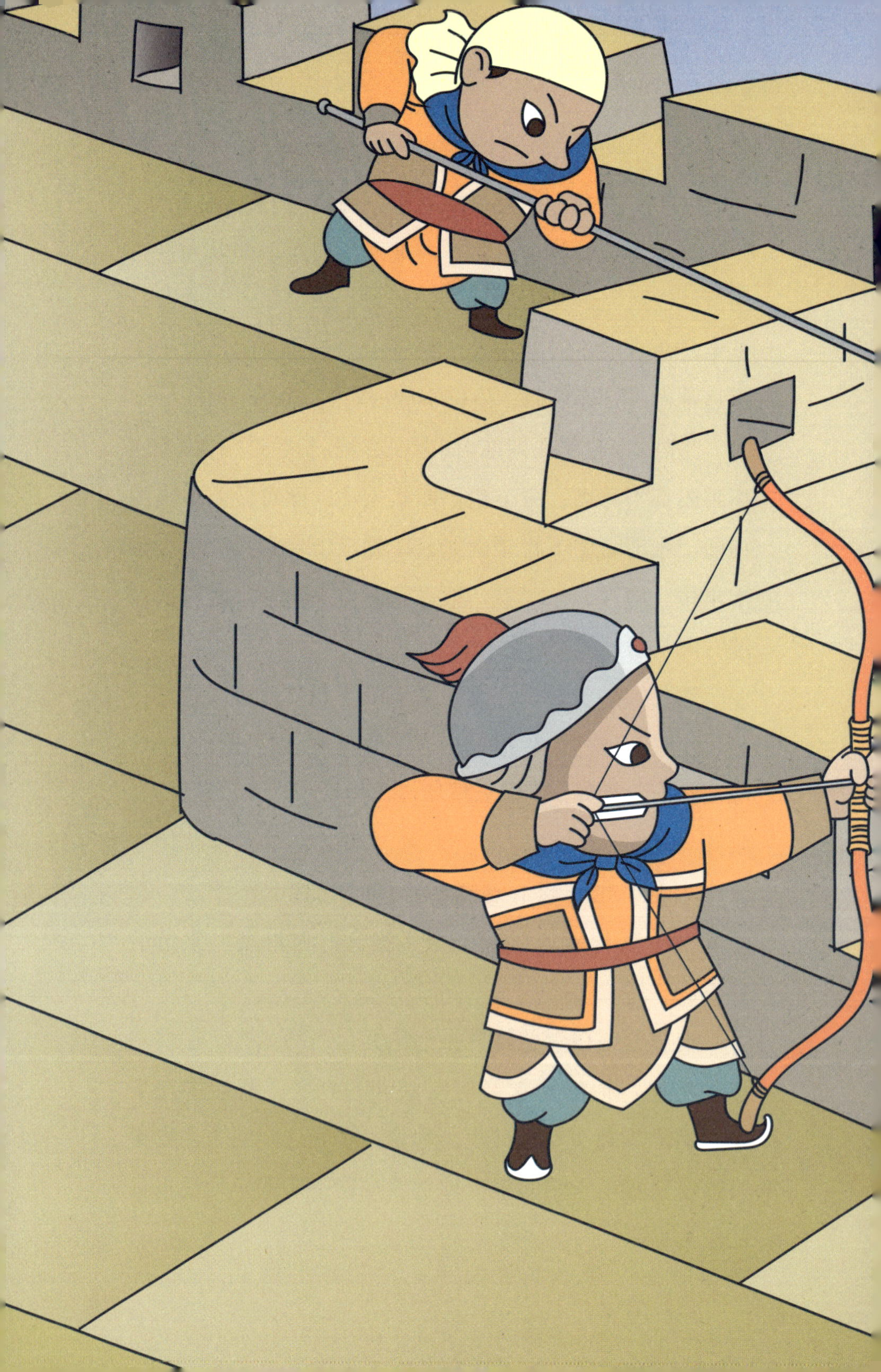

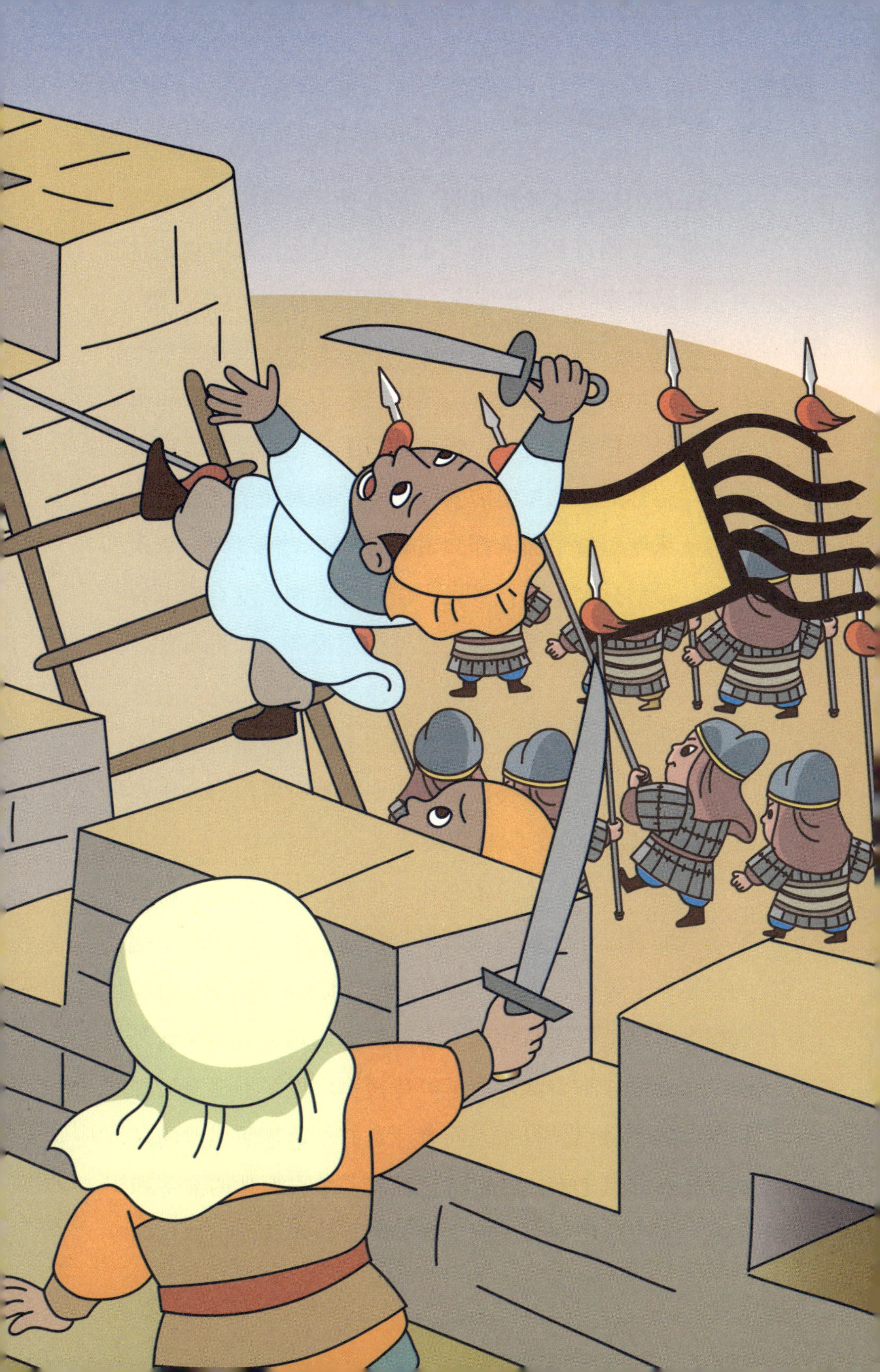

张巡当初坚守睢阳城时，仅有士兵一万人，大小战斗共进行了四百多次，杀死叛军十二万人。城中粮绝时有人建议放弃睢阳，张巡说："睢阳是江淮地区的屏障，如果放弃了，叛军定能长驱南下。"于是，没有粮食吃茶纸，茶纸吃完杀马为食，马也没有了，又捕鸟雀和田鼠来吃；这些都吃完了，张巡就杀了自己的爱妾给将士们吃，再然后就杀城中的女人来吃，接着又杀老弱病残的男子来吃。城中的人都知道难逃一死，但没有一个人叛变，最后只剩下四百多人。在没有食物也没有援军的情况下，睢阳最后被攻破，张巡拒不投降，行将斩首。叛军又威逼南霁云投降。南霁云没有回答。张巡对南霁云呼喊道："南八，大丈夫一死罢了，不能屈从不义的人！"南霁云笑着回答说："我原想要有所作为。您说这话，我敢不死吗？"也跟着就义。

后来，有人议论说张巡死守睢阳，不肯撤离，最后竟杀人而食，还不如弃城而保全人命。张巡的朋友李翰为张巡作了传记，并上奏肃宗说："张巡率兵以少敌众，为保全江淮地区而拼死保卫睢阳，他的功劳是不容诋毁的。张巡固守睢阳城是为了等待援军，援军不至而城中粮绝，迫不得已只得杀人而食，这并不是他所愿意的。就算是在守城之初，张巡就已经有了杀人而食的准备和觉悟，那么杀掉数百人而来保全天下，我认为也算是功

张巡死守

过相抵，况且那并不是他所想要的。张巡为国战死，如果不将他的功德记录下来，恐怕会被后人遗忘，那就太可悲了。"从此，再也没有人非议张巡的行为了。

【知识拓展】

许远（709—757），字令威。唐杭州盐官（今浙江海宁）人，今伊桥人。唐开元末年进士，安禄山叛乱，他被任命为睢阳太守，与真源令张巡以数千人协力固守睢阳，兵败被害。

韩愈被贬任潮州刺史时，撰写《张中丞传后叙》，表彰许远与张巡的功烈事迹，当地人因此建立双忠祠庙，将许远和张巡作为保一方平安的地方神祭祀，二人在民间被称为"文安尊王"和"武安尊王"，合称"文武尊王"。

## 李泌单骑入陕

唐德宗刚刚即位时,还胸有大志,面对因藩镇割据而日渐衰落的大唐王朝,他决心削去那些拥兵自重的地方藩镇节度使的权力。然而,雄风不再的唐王朝已经无力对抗那些实力雄厚的地方割据势力。唐德宗不得不向那些节度使妥协,发布"罪己诏",宣布一切如初。但这并不能让纷乱的天下变得太平,唐王朝仍危机四伏。

785年,陕虢都兵马使达奚抱晖毒死节度使张劝,自己代理总揽陕虢地区的军务,并请求朝廷任命他为新的节度使。同时,他还暗中勾结反叛的朔方节度使李怀光,大有反叛朝廷之意。

唐德宗得知此消息后急忙,任命李泌为陕虢都防御水陆运使,并想派兵护送他上任,李泌却拒绝说:"我还单人匹马去赴任得好,陕州的百姓心向朝廷,只不过是达奚抱晖一人作乱。如果带大批人马同去,达奚抱晖肯定会紧闭营门,百姓也会以为是朝廷派兵来讨伐,会因为恐惧而反抗。如果我一个人前去，达奚抱晖就不能大规模出动军队，若是派一两个人来杀我，我也不怕。不过我希望陛下可以让河东的元帅马燧和我一同启程离开长安，这样达奚抱晖想要害我时，便会忌惮河东调动军队讨伐他们。"

德宗左思右想，最后只得同意让李泌独自前往。李泌又对达奚抱晖派来请求职务的官员说："皇上因陕州闹饥荒，派我前去出任水陆运使，节度使则另行任命，如果达奚抱晖表现出他的才华，证明自己能担当大任，朝廷自然会擢升他为节度使。"达奚抱晖的人将这番话报告给达奚抱晖，达奚抱晖稍微安下心来，也不打算谋害李泌了。

李泌孤身一人前往陕州，行路速度很快，达奚抱晖本来不想让地方官员和李泌见面，但他的命令还没传达下去，李泌就已经到了。李泌先见过众官员，告知他们自己奉旨前来上任，而后见了达奚抱晖，并称赞他治军有方，又说："那些闲言碎语您不必放在心上，朝廷是不会更换将领的。"达奚抱晖听了这话很高兴。

李泌进城任职后，有的官员单独前来找李泌，并请求李泌屏退左右，说有事要秘密商量，李泌却说："更换节度使的时候自然会有很多闲言闲语，这是正常的。但我都已经来了，这种闲话应该停止了吧！"这样一来，

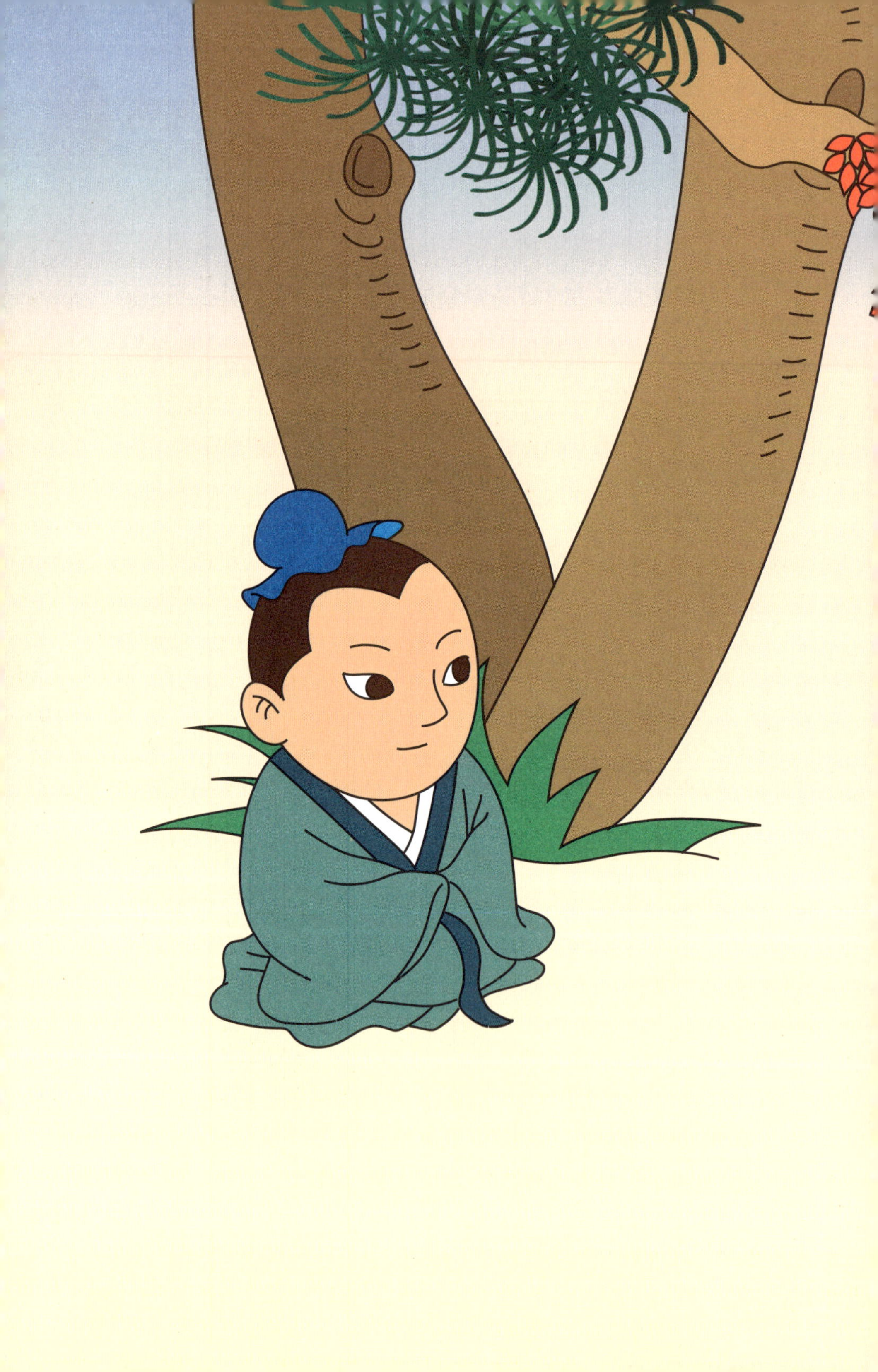

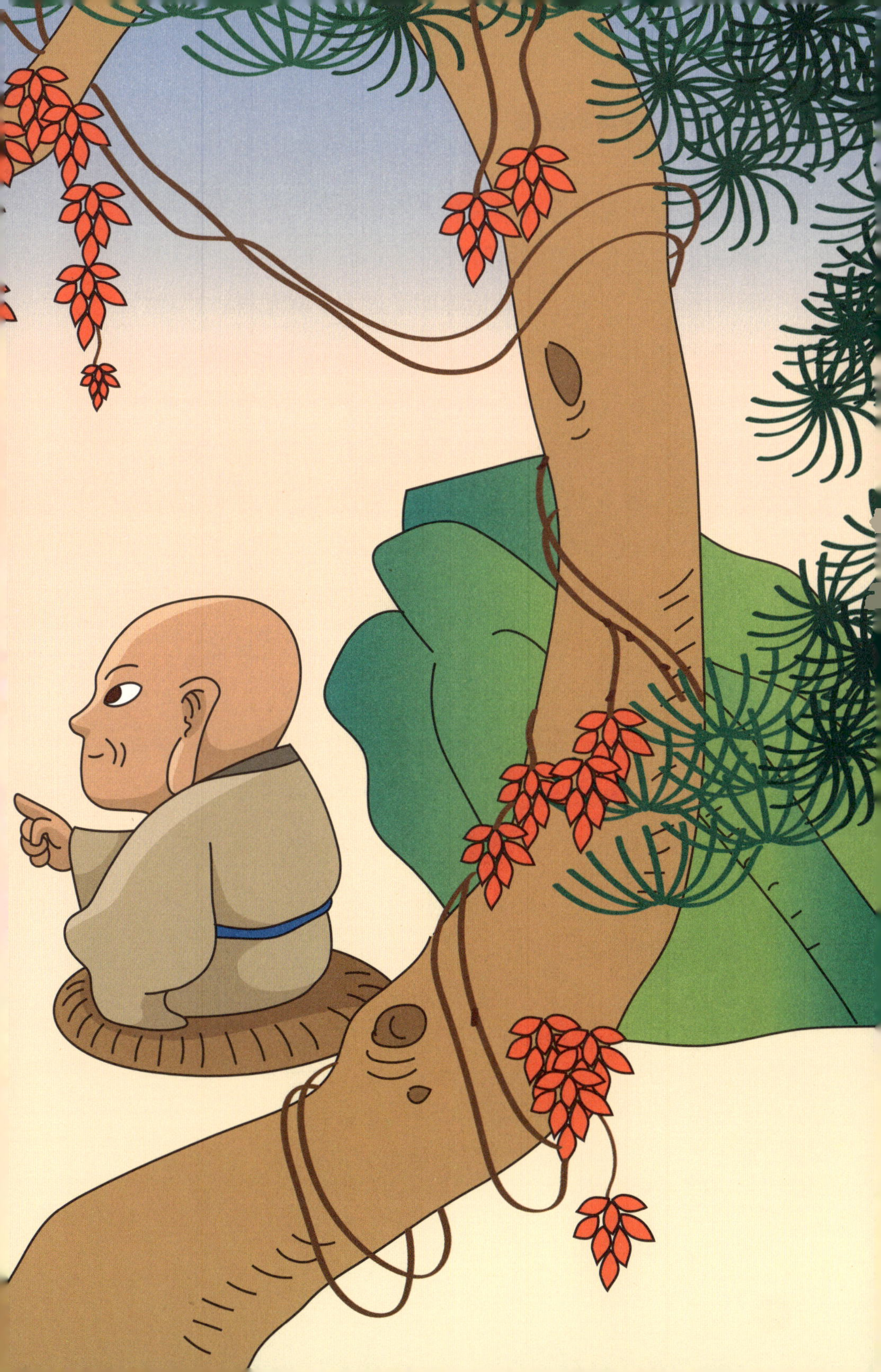

那些还心存疑虑的人也安定下来，李泌也只是要来账簿和文书，专心整顿粮运储备。

一天，李泌把达奚抱晖叫了过去，对他说："我怜惜你行伍出身，出生入死才有今天的成就，也知道之前节度使张劝对军中将士们待遇不公。但你毕竟有反叛朝廷的居心，我不想杀你，你现在就逃走吧，带着你的家小，别再进入潼关了，我保证不会有人发现。"达奚抱晖听了李泌的话，亡命天涯去了。

在李泌临走前，德宗将一份写有陕州作乱的七十五位将领资料的花名册给了李泌，并让李泌杀掉他们。李泌让达奚抱晖逃走后，朝廷派来的使者到了，李泌对使者说："我已经将达奚抱晖打发走了，剩下的人不必再追查了。"德宗知道后，又派使者来陕州，执意要李泌将那些将领杀掉。李泌没有办法，只得抓了其中的五个人押送到京城，并恳求德宗赦免他们的罪，但德宗最后还是把他们都杀了。

李怀光听说李泌已经进入陕州，知道自己无法再与陕州将领联合，便打消了反叛的念头。李泌单骑入陕州，不用一兵一卒就为朝廷解决了一个大隐患。

## 【知识拓展】

李泌历经唐肃宗、唐代宗、唐德宗三朝，可以说是三朝元老。据说，李泌避隐时期，听到一个和尚念经，悲凉委婉而有遗世之响，认为这是一位得道之人。通过打听知道，这个和尚平常以残羹剩饭充饥，吃饱了就找个角落睡觉，大家叫他懒残和尚。

一个寒冬深夜，李泌偷偷去找懒残和尚，正碰到他用捡来的干牛粪生火烤芋头，在火堆旁缩做一团，面颊上挂着清鼻涕。李泌一声不响地跪在旁边。懒残和尚一面吃烤熟的芋头，一面又自言自语，骂李泌不安好心，要偷他的东西。忽然转过脸来，把吃过的半个芋头递给李泌。李泌很恭敬地接过来，吃了下去。懒残和尚看他吃完半个芋头，说："我看你颇有诚心，许你将来做十年的太平宰相。"说完就走了。

## 刘晏理财

**刘**晏自小就才华出众,唐玄宗东封泰山时,年仅八岁的刘晏献上一篇《东封书》,受到玄宗夸奖。玄宗命宰相张说测试他的才能,张说一试,连连称奇,唐玄宗很高兴,便让刘晏做了秘书省正字。

历经八年,安史之乱终于平定,唐王朝已然千疮百孔,国库入不敷出,百姓生活艰辛,整个唐朝的经济萧条,特别是水运因常年废弛而受阻,江南的米粮无法抵达关中地区,致使关中的米价每斗涨到一千多钱,饿殍遍野,有时就连皇宫里也会没有吃的。在这种情况下,刘晏临危受命,作为转运使开始发展漕运。

刘晏亲自对漕运沿线进行实地考察后,决定大力治理漕运。但又担心自己的改革力度过大,会遭到其他官员的牵制,就给宰相元载写了一封信,痛陈漕运中的"四利""四弊",深刻地指明了重整漕运的重要性,也分析了其中的困难。元载极力支持刘晏的改革,并将情况

刘晏理财

上报给代宗。

　　刘晏得到了大唐最有权势的两个人的支持，加快进度，整顿漕运。他首先组织人力疏通河道，并打造了两千艘坚固的大船，每艘船的造价都要比普通的船高一倍。训练士兵押运粮食，不再征召沿岸的壮丁服役，以减轻百姓的负担。他雇用专门的船夫，漕运开始正式由朝廷直接经营。最后，他还改直法运输为分段运输，将全程分成四个运输段，并建立了多个转运站和仓库，这样就避开了一些不利于水运的河段，提高了运输速度，也减少了粮食在运输过程中的损耗。

　　废弛已久的漕运在刘晏的改革下重新焕发活力，江南的米粮源源不断地运进关中，缓解了粮食短缺的紧张形势。在第一船粮安全抵达长安时，代宗还专门派了乐队前去迎接，并称赞刘晏是当世的萧何。

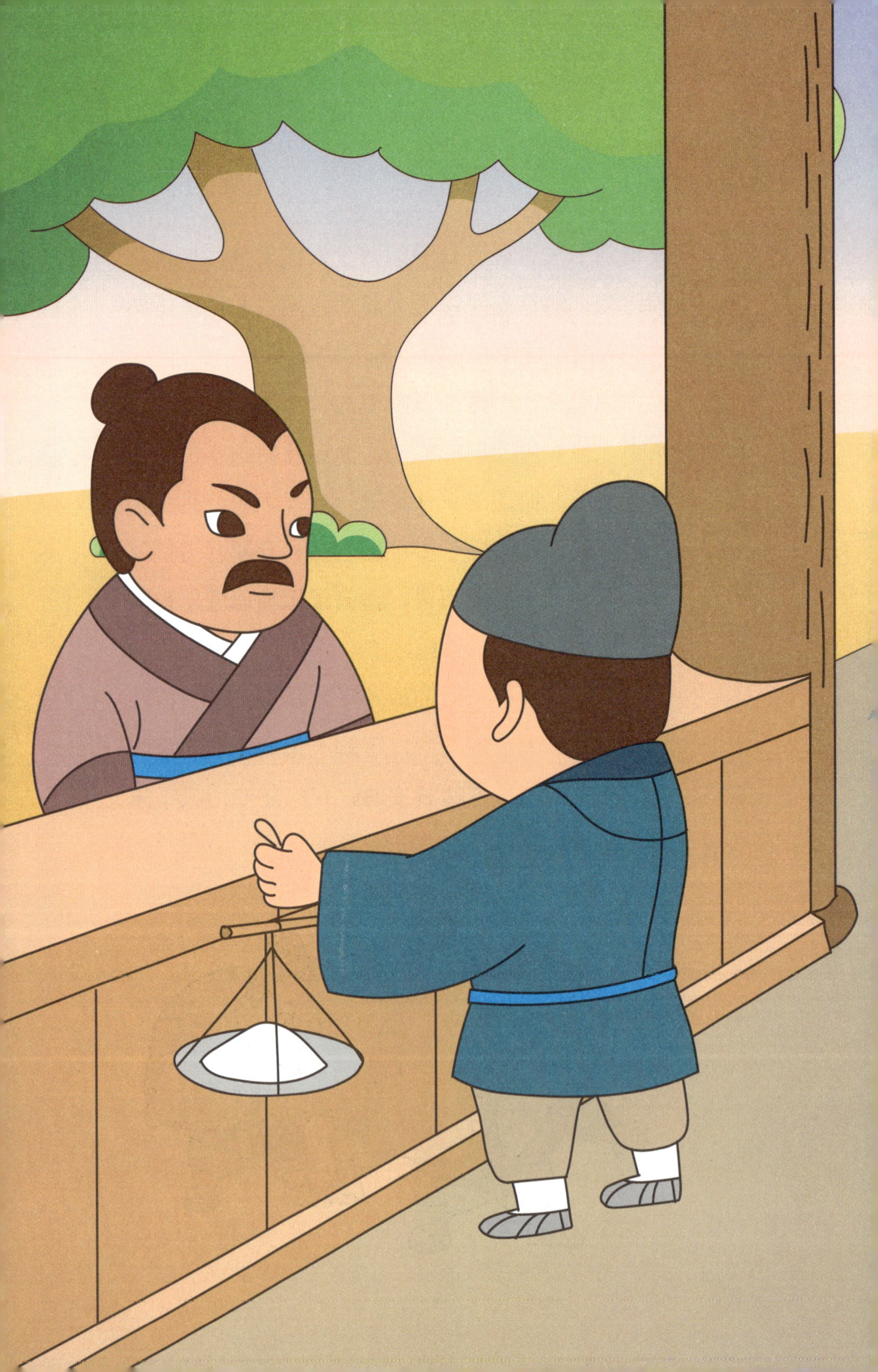

盐

唐初，政府对于盐的贩卖并不进行限制，也不收盐税。后来，盐逐渐由政府专卖，政府大幅提高盐价，其中一些贪官污吏中饱私囊，只要跟盐沾边的职位都富得流油。刘晏管理盐铁后，先是大力削减了政府的盐务机构，减少了不必要的开支；之后又调整了盐的专卖制度，将原来的政府全权经营，改为官收、商运、商销，并统一征收盐税。为了防止盐商趁机哄抬盐价，刘晏在各地都设立了盐仓，专卖平价盐，迫使那些黑心盐吏降低盐价。这样百姓就不必为吃不起盐而发愁，而且贩卖私盐的现象有所减少，政府收取的盐利也随之翻了数倍，国库因此变得丰盈起来，很好地补贴了漕运等各项开支。

刘晏还很注重对经济相关信息的收集和整理。他以优厚的待遇招募了一些善于在各地奔走、打探消息的人，将他们安排到全国各地搜集并上报当地的经济情况。这样，即使是那些偏远地区的经济状况，中央也能够了如指掌，并根据这些情报来制定国家的经济政策，保证各地物价平稳，使百姓能够安居乐业。

刘晏掌管大唐的经济大权多年，从不以权谋私，中饱私囊。他治家俭约，饮食简单，家里连个使唤丫头也没有，他常常说："住的屋子干净整洁就好，不需要如何华美；吃的东西能够饱腹就好，不必多么美味；骑的马跑得快而稳就好，不必在乎毛色如何。"刘晏做事也

刘晏理财

兢兢业业，每次骑马上早朝时，都会一边走，一边计算财政的收入和支出情况，下朝后回家继续处理事务，每天都要忙到半夜才休息。

宰相杨炎因为刘晏曾经得罪过自己，就派人诬陷刘晏私自征召士兵，意图不轨。德宗在没有调查真相的情况下，就派遣密使将刘晏杀掉了，还将刘晏的家属发配到岭南。后来，杨炎派人去抄刘晏的家，只得到两车书和几斗米，世人都称颂刘晏的廉洁。

【知识拓展】

元载，凤翔府岐山县（今陕西岐山）人。担任宰相十五年，最终因专权贪腐被赐死。但他任相期间，颇有功绩，协助唐代宗铲除了权倾朝野的宦官李辅国和鱼朝恩，提拔任用了刘晏、杨炎等理财名臣。

# 中兴名臣裴度

唐宪宗李纯即位后,对先祖开创的"贞观之治"和"开元盛世"十分仰慕,决心以祖上的圣明之君为榜样,励精图治,做一个千古称颂的好皇帝。在他和众贤臣的努力下,唐王朝重新焕发出活力,形成中兴气象,而裴度正是得使大唐中兴的股肱之臣。

## 中兴名臣裴度

814年，唐宪宗在宰相李吉甫、武元衡的支持下，决心改变致使唐朝衰弱的藩镇割据局面。那时淮西节度使吴少阳去世，他的儿子吴元济秘不发丧，上表图谋继承父亲之位，被朝廷驳回，于是勾结同为节度使的李师道起兵造反。宪宗发兵征讨，官军打了很久也没能打败叛军，宪宗便派遣御史中丞裴度前往军营考察军情，并慰问将士。裴度回朝后，向宪宗表示攻取淮西只是时间问题，并特别提到了一个叫李光颜的将领，认为他骁勇善战，定能建功立业，宪宗听了很高兴。后来，李光颜果然率军大败淮西叛军。

淄青节度使李师道表面上支持朝廷讨伐吴元济，实际上却暗中支持吴元济，甚至派人潜入京城，意欲暗杀力主对淮西用兵的大臣。他们先是刺杀了宰相武元衡，而后又前去刺杀裴度，裴度有忠仆相护，保全了性命。事情传开，整个京城都震惊了，朝中人人自危，大臣们不到天亮都不敢出门，有时皇上登殿后许久，百官还不能到齐。有的大臣因为惧怕，开始向宪宗建议对节度使妥协。

裴度伤愈后，宪宗命他代替武元衡为宰相。裴度继续进言说："淮西地区是朝廷的心腹大患，不能不除，讨伐吴元济绝对不能半途而废。如今朝廷已经派兵讨伐淮西，对待其他的藩镇，朝廷也应采取强硬态度。"宪

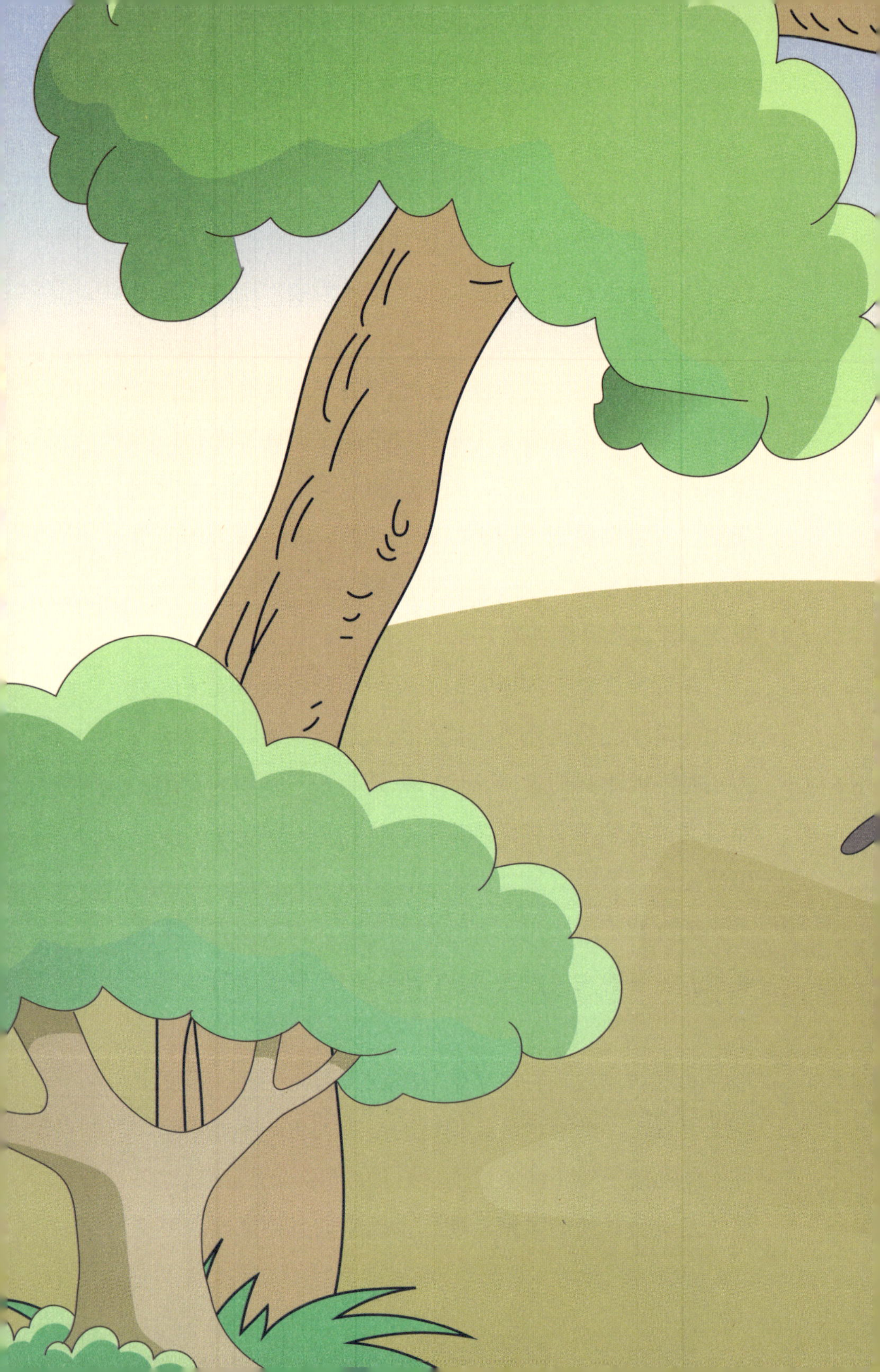

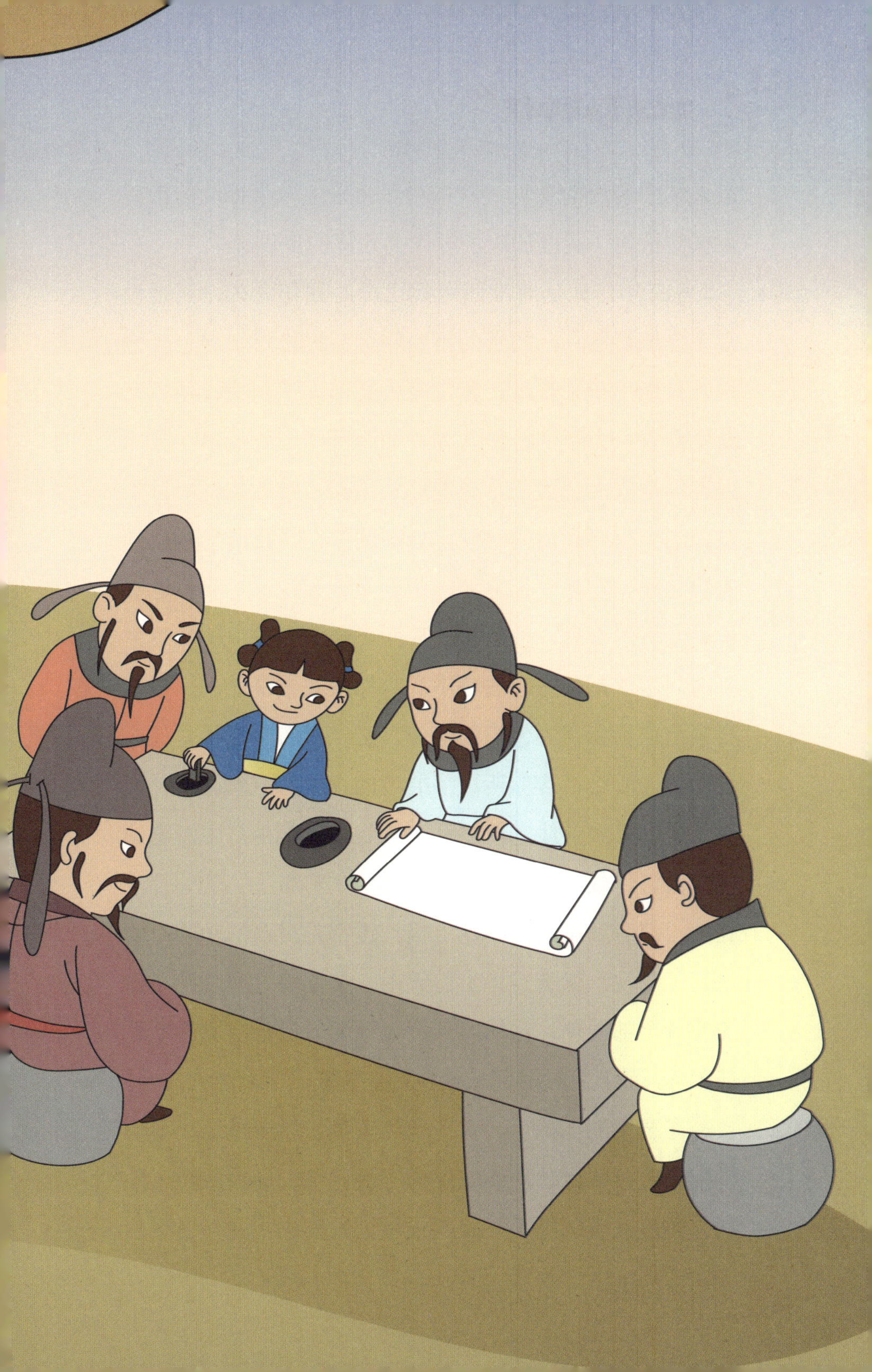

宗采纳了裴度的意见，并将对藩镇采取军事行动的指挥大权交给他，裴度加快了讨伐吴元济的步伐。

817年，朝廷对淮西用兵已历时四年之久，还是没有完全取得胜利，物资的不断转运劳民伤财，导致一些百姓只能用驴来耕地，宪宗也为此而深深担忧，便招来众臣商议。大臣们纷纷认为，如今军中士气低落，国库因连年征战而空虚，希望能停止用兵，唯独裴度一言不发。当宪宗问到他的时候，他却回答："我请求亲自到前线督战。"宪宗很感动。裴度又继续说："我最近看了吴元济的奏表，他面临的局面已经十分窘迫，我军主要的问题就是各将领的心不齐，如果我亲自前去，那些将领一定怕我夺去他们的功劳，必定对叛军步步紧逼，我军便能取胜。"宪宗听取了裴度的意见，命他前往督战。

裴度来到前线之前，军中的将士们都由宫中派出的使者监督作战，军队的行动不能由主将做主。若是打了胜仗，使者就派人向朝廷上报，说都是自己的功劳；要是打了败仗，就责骂将士们无用。裴度将这些宫中派出的使者全部罢免，这样，各位将领就得以自由灵活地处理军务，而且打仗时积极性也得到提高，所以经常取胜。

在裴度的指挥下，官军士气大振，所向披靡，很快星夜奇袭蔡州成功，破城俘虏了吴元济，彻底取得了胜利。蔡州被攻破以后，裴度领军进驻其中，并任用蔡州

中兴名臣裴度

的将士。

淮西被破,各藩镇割据势力十分恐惧,相继归顺朝廷。818年,叛乱的淄青节度使李师道也被肃清,大唐削藩取得了巨大成果,重振了中央集权的声威,开创了唐朝的中兴气象。

【知识拓展】

三绝碑:成都武侯祠中的《蜀汉丞相诸葛武侯祠堂碑》,因文章、书法、刻技俱精被称为"三绝碑",由唐朝著名宰相裴度撰碑文,柳公权之兄书法家柳公绰书写,名匠鲁建刻字,三者都出自名家,因此被后世称为三绝碑。

# 牛李党争

自唐宪宗始，朝廷之中就有着所谓的"牛李党争"。牛党的代表人物是牛僧儒和李宗闵，而李党的代表人物则是李德裕。又因为在牛党之中，李宗闵所起到的作用比牛僧儒更大些，所以又有"二李党争"的说法。

当时，科举考试使出身低微的知识分子得到了进入仕途的机会，打破了旧的严格的门阀等级界线，选拔了某些有才干的人。

庶族们的平步青云让养尊处优的士族们感到强烈的心理失衡。元和三年（808），朝廷照例举行"贤良方正能言直谏科"考试，李宗闵和牛僧儒都是这一年参考的士子，在策文中他们二人不约而同都写了对藩镇的策略，都认为不该对藩镇大加征讨。李、牛二人才华横溢，洋洋洒洒，征服了考官。

但当时的宰相李吉甫，是主战派的重要成员，对李、牛二人的言论十分不满，而支持对藩作战的唐宪宗也自

然站在李吉甫一边。

穆宗长庆元年（821），李宗闵、牛僧儒终于摆脱了李吉甫的阴影，进入朝廷为官，而此时与他们同朝的还有李吉甫的儿子李德裕。

长庆元年（821）三月，朝廷又举行了"常科"考试。当时的翰林学士李绅和西川节度使段文昌都在之前告知过考官钱徽，希望他们能够照顾自己所荐之人。但到了最后，他们二人的亲属无一中举，而裴度之子、李宗闵之婿等公卿子弟都位列其中。段文昌不满这个结果，就上书揭发主考官徇私舞弊。

唐穆宗于是命白居易等人对这次参加考试的士子再进行一次检验，果然这些被录取的公卿子弟都是没有才学之人。李宗闵因受此事牵连，被贬剑州。至此，牛党和李党之间的斗争正式拉开帷幕。

牛、李两党的政治主张截然不同，李党力主摧抑藩镇割据势力，恢复中央集权，而牛党反对用兵藩镇。这样的争论原本具有一定的历史意义。可是自长庆以后，完全演变成一场争权夺利的政治斗争。

唐文宗即位之后，因为牛僧儒等人对地方势力的妥协态度，发生了著名的"维州事件"。因为此事，唐文宗脸面尽失，遂将牛僧儒一干人贬职。之后的武宗启用李德裕为相，武宗会昌年间是李党的繁盛期，李宗闵等牛党人都被打压。

唐宣宗上台也重组权力，对武宗当初所信赖的官员一律弃之不用。

唐宣宗即位几天之后，就下旨将李德裕罢相，贬到荆南做节度使，不久又将他贬到一个更低的职位，在东都洛阳担任留守一职。

失去了武宗朝的光环，李德裕在大中年间一路走低，仕途极其不顺，最后死在了崖州任上。

"牛李党争"是中晚唐时期影响最大、持续时间最长的一次政治斗争，和唐朝后期的治乱兴衰关系密切，这也是历史上不多见的。

牛李党争

【知识拓展】

李绅（772—846），字公垂，亳州谯县（今属安徽）人。唐朝宰相、诗人，与元稹、白居易交往甚密，为新乐府运动的倡导者和参与者，是《悯农》一诗的作者。李绅步入仕途飞黄腾达后，却丧失了诗歌里的悯农之心，生活豪奢、为官酷暴、滥施淫威。据传，他一餐的耗费经常多达几百贯甚至上千贯。李绅死后，被朝廷定为酷吏。

## 甘露之变

**唐**朝晚期，宦官专权把持朝政，气势熏天，甚至皇帝的废立也由宦官一手掌控。唐文宗继位后，深感宦官胡作非为是国家的祸害，但苦于势单力薄，只得忍气吞声。权臣李训、郑注得到文宗信任和重用后，揣摩到文宗的心思，在给唐文宗讲授先人经典的时候，多次暗示文宗除掉阉党。旁人只知道李训和郑注是大宦官王守澄面前的红人，隶属阉党，却不知他们正和文宗密谋。李训、郑注秘密向文宗建议诛杀王守澄，文宗便派人前往王守澄的府邸，赐毒酒将王守澄毒死，而后又追封王守澄为扬州大都督，以稳定阉党。

835年，唐文宗和百官正在大殿之中，与李训一党的大将军韩约上报："昨晚在左金吾衙门后院的石榴树上发现有甘露，这是祥瑞之兆。"李训等人趁机劝文宗亲自前往观看，文宗同意了，并命百官先前去观看，百官过了很久才回来。李训奏报说那甘露不像是真正的甘

露，文宗假装奇怪，又派众位宦官再次前去观看，而命士兵手执兵器等待命令。

大宦官仇士良率领众宦官跟着韩约去看甘露，韩约因为太紧张而脸色古怪，仇士良觉得奇怪，这时，一阵风把院中的帐幕吹了起来，使得众宦官发现了隐藏在帐幕后的伏兵。众宦官大惊，急忙往外跑，守门的士兵没把门闩闩好，被众宦官冲了出去。仇士良等人奔上大殿，向文宗报告发生兵变，半强迫地将文宗搀扶上软轿，带着文宗一同逃跑。李训急呼士兵护驾，士兵冲上前诛杀宦官，一时间血流成河。文宗的软轿被抬进后宫，宦官们将宫门紧紧关闭，李训知道事情不妙，急忙逃跑。上朝的百官都还不清楚到底是怎么回事，仇士良等宦官得知文宗也参与了这件事，十分恼怒，在文宗面前出言不逊，文宗又羞又怕，不敢作声。

仇士良等人命令手下带领禁兵五百人讨伐贼党。当时，大臣们正在政事堂准备吃饭，忽听有人报告："有一大群士兵冲了过来，见人就杀！"连忙四散奔逃，禁兵随后赶到，关闭了大门，还没来得及逃出去的六百多人全部被杀。仇士良又下令分兵在城中搜查乱党，一时间鸡飞狗跳，不少百姓和商人被误杀，流血遍地。

不少无辜的大臣遭到逮捕，禁军借机大肆掠夺大臣们家中的财产。李训逃出了京城，但无处躲藏，最后还

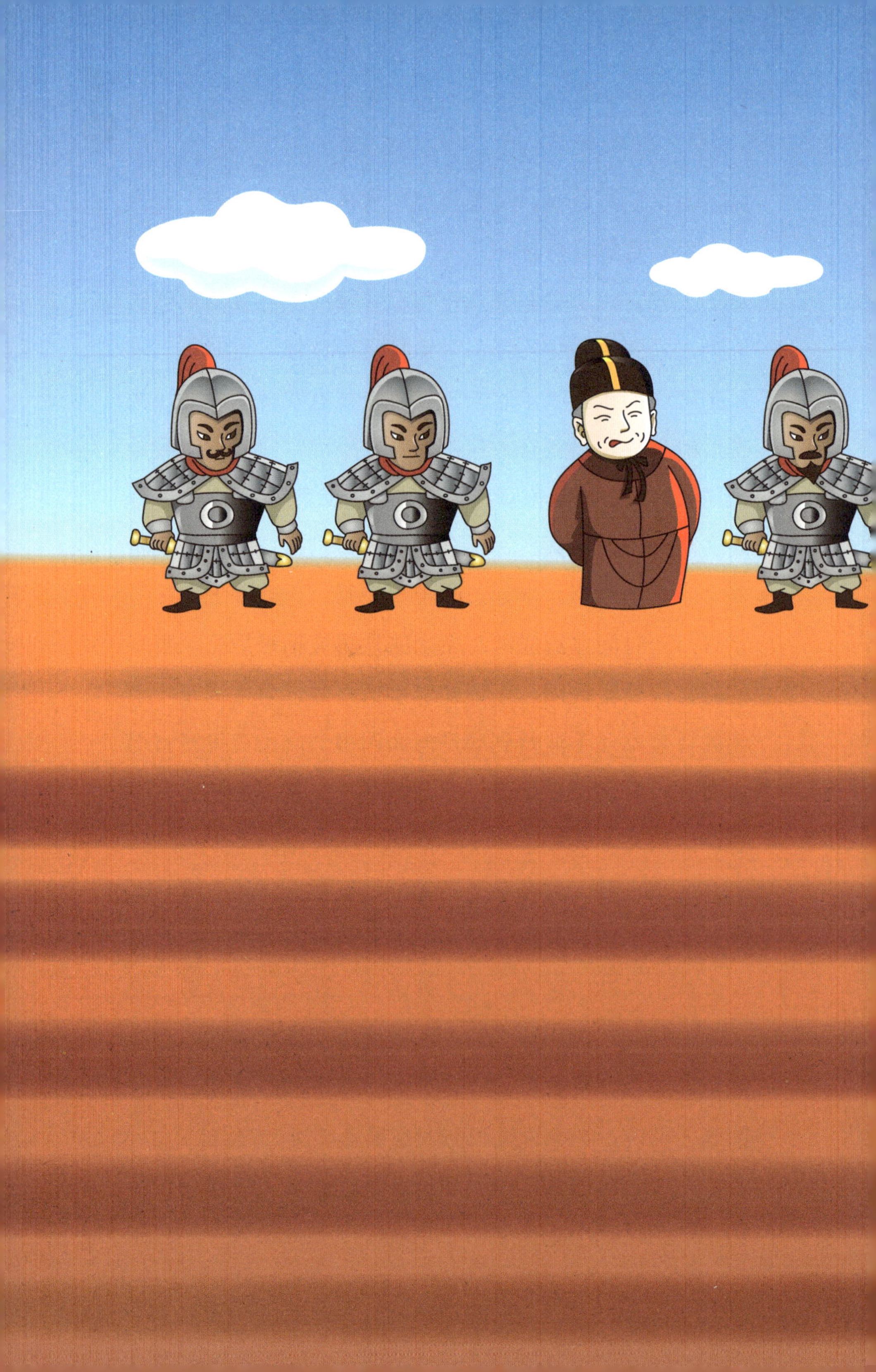

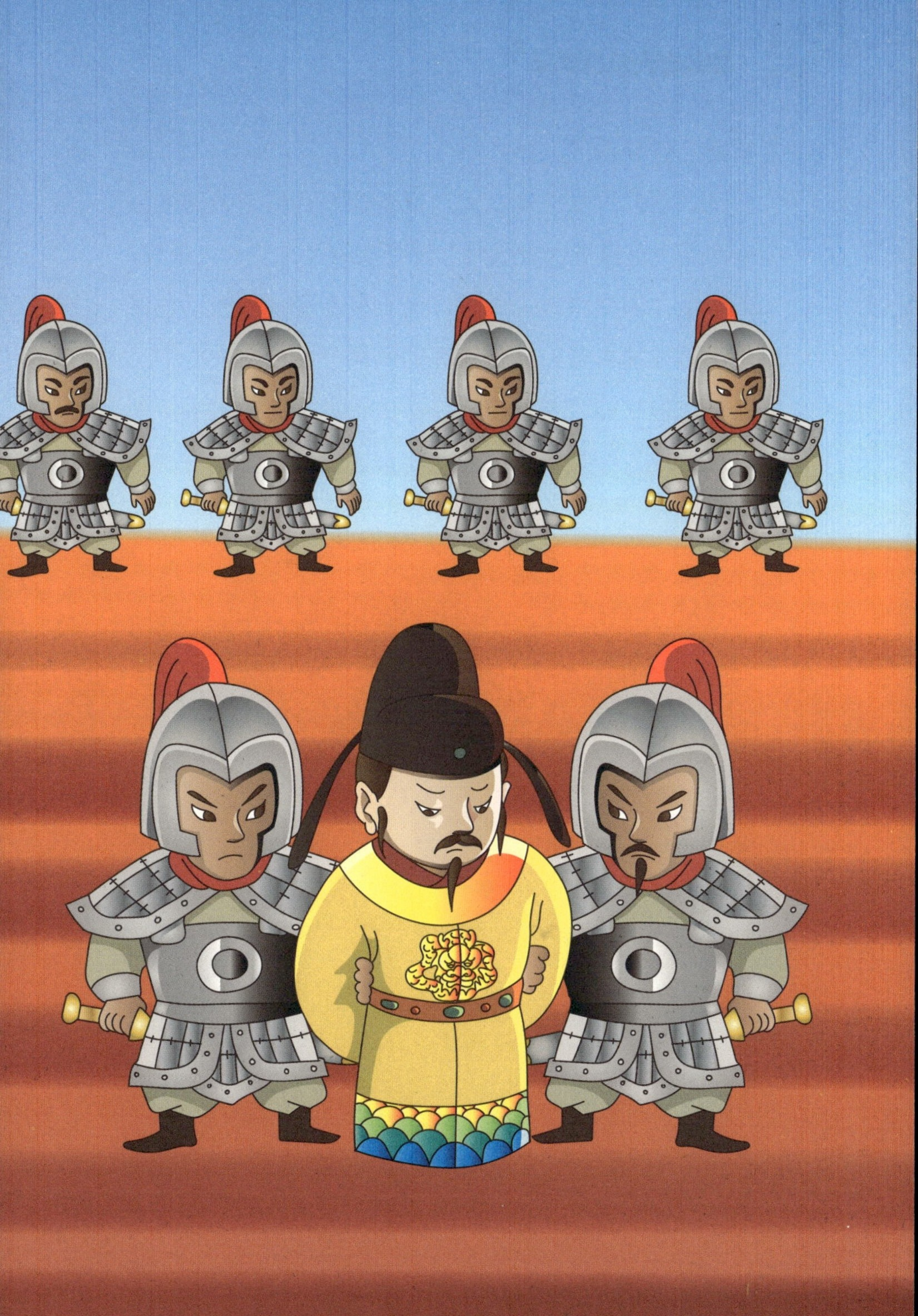

是被阉党抓住杀了。

几日后，百官上朝，宫内戒备森严，持刀枪的禁军分列两旁。百官进入大殿时，没有宰相和御史大夫带领，队伍混乱。唐文宗登上大殿，仇士良上奏说宰相参与谋反，已被逮捕入狱，并将王涯的供词呈上，文宗心中又悲又气，但只能苦苦忍耐，任命仇士良推荐的人主持朝政。就这样，轰轰烈烈的诛除宦官的"甘露之变"彻底失败了。

【知识拓展】

甘露，在中国古代是一种非常神圣的东西，被尊为神浆，"其凝如脂，其甘如饴"，据说食用之后能活到八百岁。汉武帝曾专门在建章宫内建造了高达七米的铜仙承露盘。据说"天下升平则甘露降"，"天降甘露"因此被认为是一种祥瑞。

# 黄巢起义

**黄**巢，私盐贩出身，年轻的时候喜欢击剑骑射，且精通文墨。他曾几次赴长安参加科举考试，但都落第。他以《不第后赋菊》为题，写了一首咏菊诗："待到秋来九月八，我花开后百花杀。冲天香气透长安，满城尽带黄金甲。"

唐期末年，由于宦官专权，藩镇割据，常年混战不休，社会生产遭到严重破坏，百姓身处水深火热之中。874年，濮州人王仙芝、尚君长等人集结了三千余众，在濮阳首举义旗，向唐王朝宣战。

黄巢听到王仙芝起兵反唐的消息后，便和族兄黄存，子侄黄揆、黄思邺，外甥林言等八人，聚集数千民众响应。不久，两路起义军在曹州胜利会合，黄巢被推举为第二领袖。他们连战连胜，只几个月就攻下附近许多州县，起义军发展到几万人。

起义军在黄河、淮河地区的迅速发展，直接威胁到

唐朝的漕运，并从政治上动摇唐朝的统治。朝廷与起义军在中原展开了一场激烈的围剿与反围剿战争。张仙芝与黄巢随机应变，把部队化整为零，迅速转向沂蒙山区，进行外线作战。由于起义军神出鬼没地流动作战，使唐军时战时休，无所适从，以致军心动摇。王仙芝、黄巢则乘唐军厌战之机，率领起义军突入河南，跳出唐军的重重包围，取得了反围剿的重大胜利。

876年，王仙芝战败被俘。黄巢先率起义军一鼓作气攻陷汝州，之后摆出佯攻洛阳的阵势。正当唐王朝调集重兵准备保卫洛阳的时候，起义军出其不意，突然北折，占阳武，攻郑州，然后挥师南下，进取唐州，直逼

湖北，连克鄂州、复州，入江淮重镇扬州。唐廷急忙命令感化军节度使薛能率部援救。黄巢在扬州虚晃一枪，提兵折向西南，入安徽克舒州。

黄巢率领义军在几十万唐军的围追堵截之间宛如游龙，进退自如。他们以高速流动的作战方式，在敌强我弱的形势之下，避实就虚，以全力打击唐军，变防御为进攻，削弱敌人，扩大自己，使起义军像滚雪球一样越滚越大。起义军攻下汝州后，接着剽掠关东，官军屡次来讨战，都被打败。这时，起义军队伍已发展到十多万人。尚让和其他首领共推黄巢为王，号称"冲天大将军"。

起义军在黄巢的统率下连克许多州县，迅猛地逼近东都洛阳。唐军加强了洛阳的防线，但江淮防御因此出现漏洞。黄巢乘虚向南进军，开始了踏遍大半个大唐江山的万里征战。江南历来是唐朝的财政命脉。为了实现大军的南征，黄巢针对当时唐军三路军队组成长江防线，企图阻止起义军南下的部署，组织了几次大规模的战役。

878年3月，黄巢率义军从濮州出发，沿鲁豫边境插入河南中部，兵锋直指东都洛阳。唐军急调曾元裕军离襄州，救援洛阳。曾军北上，正中黄巢调虎离山之计，使唐军长江防线出现缺口，为义军南下打开了通道。黄巢率起义军乘长江防线之虚而入，直奔江淮，渡过长江天险，横扫江西全境，兵陈宜州。

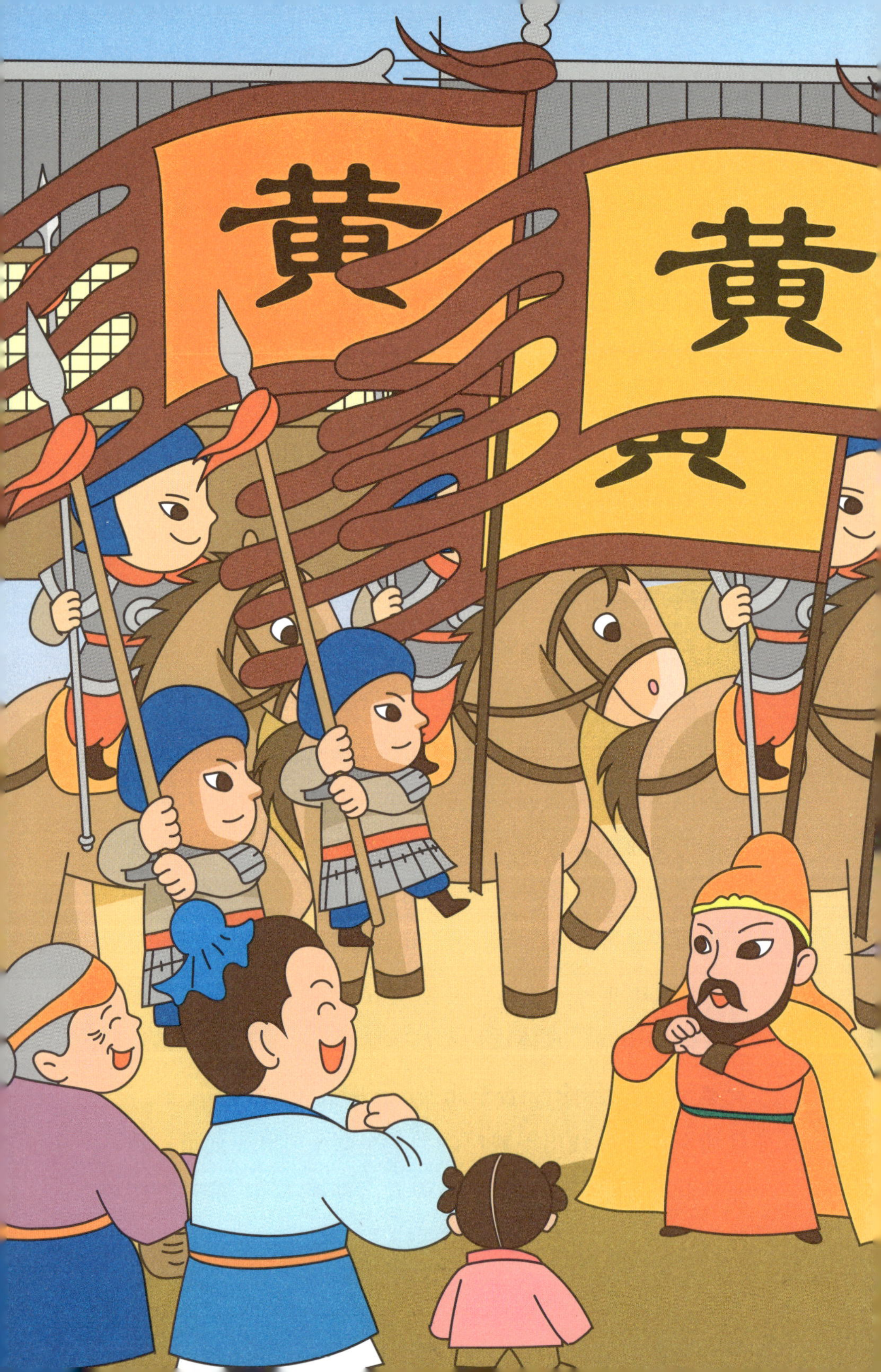
黄
黄

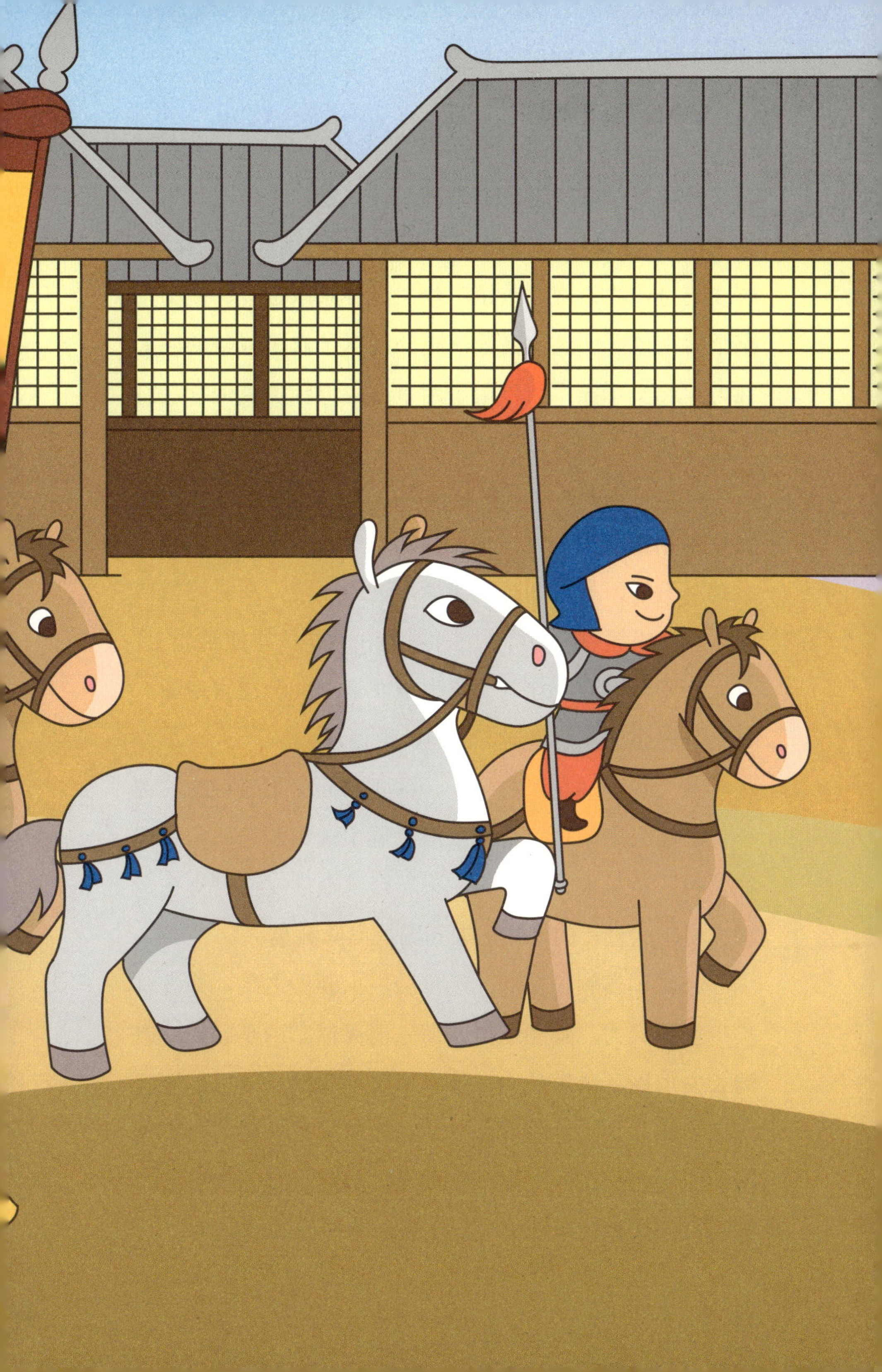

黄巢率领起义军南下湖湘，转入浙东，攻占越州，进军福州。12月，起义军攻克福州。经过几个月的休整，继续前进，攻占南方重镇广州，又分兵取桂林，控制了整个岭南地区。这次南征，充分显示了农民战争的巨大威力。起义军在广州停留了两个月，但因瘴疫流行，将士死亡众多，大家劝黄巢不如北上以图大业。

879年10月，起义军从桂州出发，沿湘江进入湖南，连克永、衡二州，又在潭州全歼唐军。880年，义军北上越过五岭，从湖湘打到江浙，进逼广陵，高骈闭城自守，各镇戍都望风迎降。这年9月，黄巢大军渡淮北上，攻克洛阳，洛阳留守刘允章率领在洛阳的分司官迎降。黄巢继续西进攻取陕州、虢州，进逼潼关。

潼关攻坚战是攻占长安、彻底动摇唐朝政权的关键一仗，结果唐朝官军全线崩溃，僖宗逃出开远门向南奔往骆谷。黄巢大军到昭应，来不及逃命的文武百官在金吾大将军张直言的率领下来到灞上出降黄巢。

起义军占领长安后，逐步滋生出骄傲之气，并没有集中优势兵力，乘胜追击并彻底消灭僖宗的小朝廷，肃清长安周围各藩镇兵力。这给了唐朝廷喘息之机，使其逐渐聚集起兵力。随着起义军由攻势转入守势，由大范围的流动作战转入局限于长安及其数州之地的保卫战，起义军的优势逐步丧失，起义开始走向低潮。

黄巢起义

884年,黄巢在李克用骑兵追击的情况下,东奔兖州,在瑕丘地方又与唐将李师悦及叛徒尚让激战,终因寡不敌众,大败。黄巢自刎于泰山狼虎谷襄王村(山东莱芜西南)。

【知识拓展】

李克用:本姓朱邪,沙陀族人,自唐太宗时,世代效忠唐王朝。其祖父因平叛有功,被赐姓李,因此沿用李姓。李克用凭镇压黄巢起义起家,后被赐封晋王,是唐朝末年势力最大的藩镇之一,他的儿子李存勖建立了后唐。

## 朱温篡唐

**朱**温年少的时候就失去了父亲，家境贫困，与两个哥哥跟随母亲依靠一个叫刘崇的人讨生活。刘崇经常侮辱朱温，但刘崇的母亲看出朱温不是个平常人，要家里人好好对待他。那时正值唐末，朝廷统治腐朽，变本加厉地剥削百姓，终于引发大规模的农民起义。877年，黄巢发动起义，朱温前往参加，屡立战功，很受黄巢重用。

起义军进入长安，黄巢称帝，开始安于享乐，不思进取。朱温投降官军。唐僖宗很高兴，封朱温为右金吾大将军，并赐朱温名为朱全忠，命他率兵讨伐黄巢起义军。经过近十年的征战，黄巢起义最后被镇压，但军阀割据的局面已经形成，唐王朝名存实亡。宣武节度使朱温、河东节度使李克用、凤翔节度使李茂贞等势力极大，各方节度使拥兵自重，他们为了扩张自己的势力而相互征讨，国家兵祸连连。当时，朱温和李茂贞都有挟天子

以号令诸侯的打算，都想把唐昭宗弄到自己的势力范围中去。

901年，唐昭宗和心腹大臣崔胤谋划诛杀宦官，计划败露，事情急迫，崔胤便送信给朱温，假称奉有密诏，命令朱温率军迎接皇上车驾，还说："朱公您一定要迅速行动，不然功劳就要被李茂贞抢了！"朱温收到书信急忙发兵向皇城赶去。

宦官们听说朱温正火速赶来，惊恐万分，决定投靠凤翔节度使李茂贞，于是忙命人劫持了唐昭宗，强迫昭宗驾临凤翔，并掳掠国库内的钱财、珍宝，送往凤翔。朱温知道后率兵围攻凤翔，李茂贞不敌，最后杀死一众宦官，与朱温和好，并将昭宗送出凤翔。昭宗来到朱温的军营。

朱温率军护送昭宗回到长安，同崔胤一起将阉党势力连根拔除，朝廷赐朱温"回天再造竭忠守正功臣"的名号，朱温开始把持朝政。一次，昭宗想要任用韩偓为宰相，韩偓则推荐赵崇和王赞二人。昭宗想要应允，崔胤不愿意有人来分享自己的权力，就让朱温入宫提出反对。昭宗见朱温气势汹汹，心中害怕，无可奈何地将韩偓贬为濮州司马。离别时，昭宗拉着韩偓的手哭着道别，韩偓叹气道："朱温已经不是以前那个为国为民的朱温了，我被贬到远离京师的地方也好，至少不用看到篡位

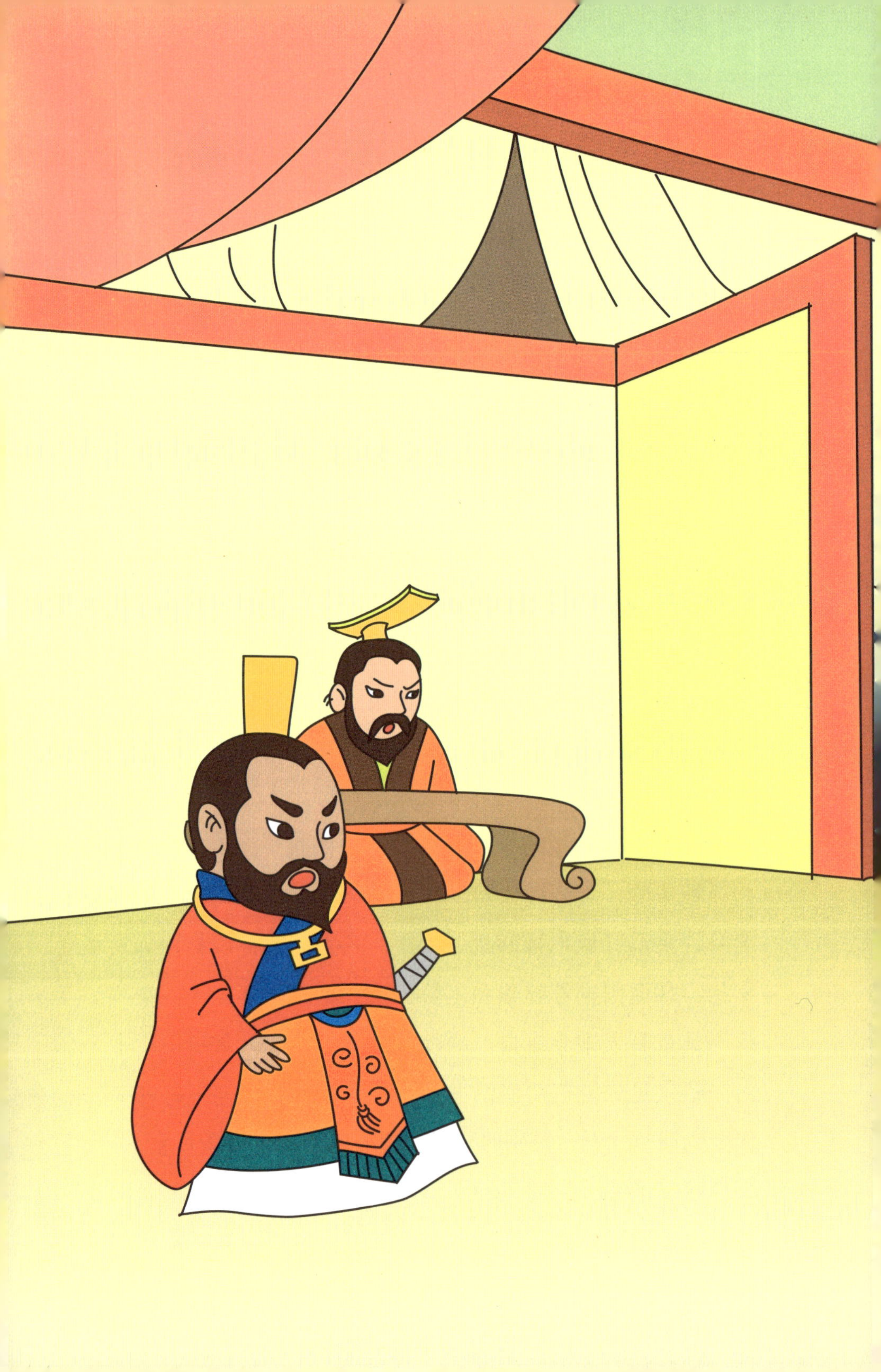

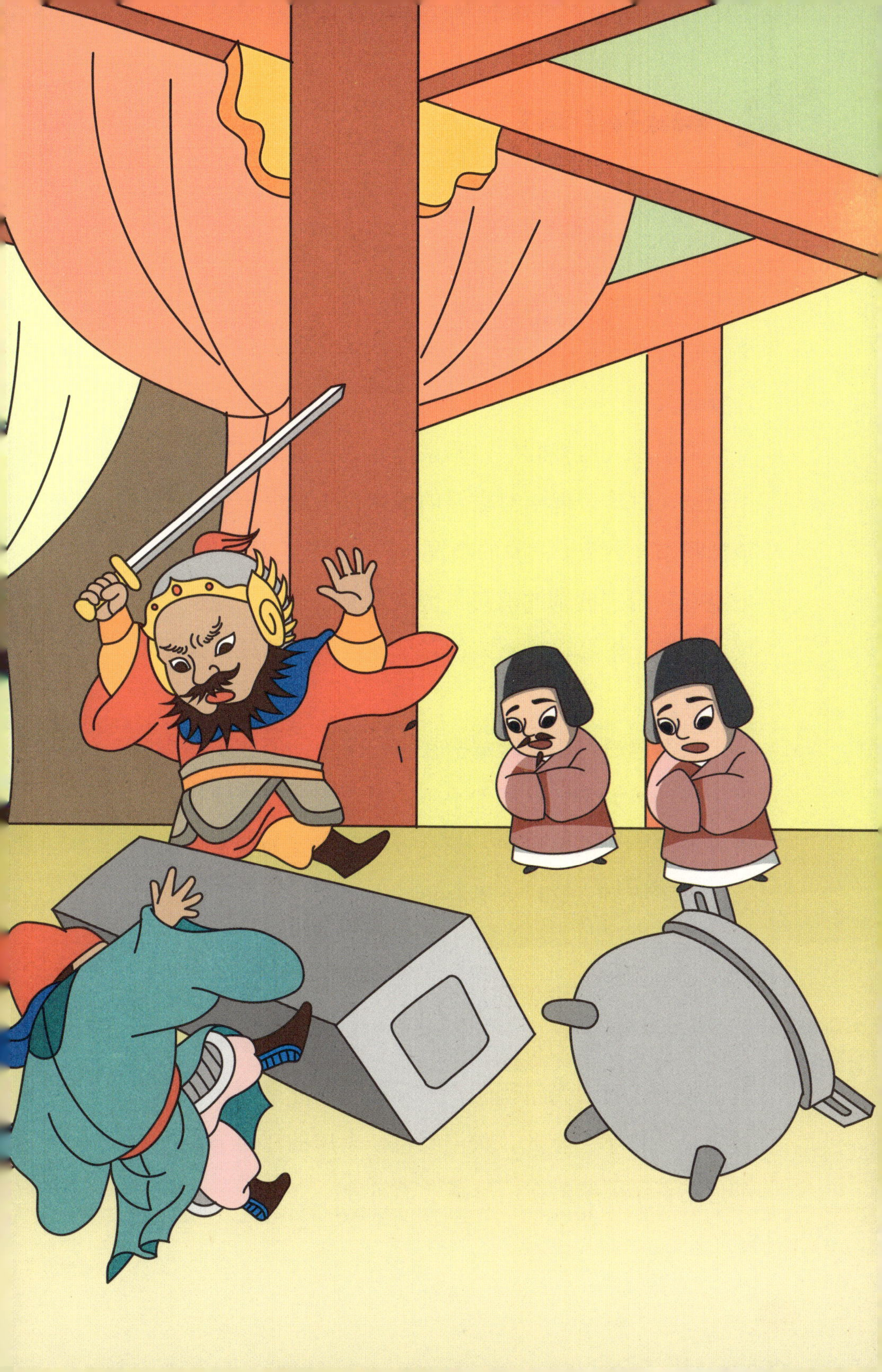

杀君的灾祸。"

904年，朱温逼迫昭宗迁都洛阳，也就是他自己的势力范围，并驱赶士族、百姓一同迁徙，一时间哀鸿遍野。朱温又命手下拆毁长安的宫殿、民舍，长安自此成了一片废墟。

朱温派人监视昭宗，昭宗因为处处被朱温压制，心中郁结，时常表现出对朱温的恨意。朱温很害怕，于是杀掉昭宗。年仅十三岁的李柷被扶上帝位，是为唐哀帝。朱温听到昭宗被杀的消息，假装震惊，扑倒在地放声大哭。后来，朱温将唐昭宗的九个儿子全都勒死，抛尸九曲池中。

朱温已然将小皇帝掌控在自己手中，便放下心来四处征讨，扩大势力，而他手下的谋士进言："现在四方节度使发兵前来征讨您，都是以拥戴唐室为名义，您应该先灭了唐室，这样就不会再落人口实了。"朱温深以为然。

哀帝下诏将帝位禅让给朱温。907年，朱温再次更名为朱晃，登基为帝，接受唐室百官的朝拜。十七岁的哀帝表面上被封为济阴王，实际被囚禁起来，第二年就被朱温杀害了。至此，朱温篡位，李唐的江山易主，唐朝近三百年的统治在这里画上了句号。

## 【知识拓展】

白马驿之祸：又称"白马之祸"，是朱温为篡夺唐朝统治大权而诛杀朝官的一次重大历史事件。朱温的得力谋士李振，曾在二十年间屡试进士不中，于是迁怒衣冠大族的官僚和科举出身的朝士，鼓动朱温，在滑州白马驿杀死被贬大臣三十余人，并就地抛尸黄河。他曾对朱温说："这些官僚自命不凡，说自己是什么清流，现在将他们诛杀后投入黄河，让他们永远成为浊流。"朱温笑而从之。

## "五代第一明君"周世宗

柴荣是今天的河北魏县人,并没有显赫的家世。他的姑姑原本是后唐庄宗后宫的一名宫人,庄宗死后,他的后宫也被遣散。柴荣的姑姑在回家的路上遇到了后来的后周太祖郭威,并且嫁给了他。

因为家庭贫穷,柴荣幼年时期便跟随姑姑一起生活。郭威非常喜欢这个谨慎厚道而且聪明伶俐的孩子,就把他收为养子,改名为郭荣。

郭威当时跟随着刘知远,因为性格沉稳有谋略,在战场上表现勇猛,很得刘知远的信任。后晋被灭之后,郭威劝刘知远自立为王,自己也一跃成为后汉的开国功臣。

刘知远死后,后汉隐帝即位,郭威被封为枢密使。后汉隐帝刘承祐长大成人之后不想再受制于那些老臣,杀掉了当时在京城的很多前朝官员。此时郭威正在外打仗,听说很多开国功臣被杀,选择了铤而走险,起兵造反。

## "五代第一明君"周世宗

最后,郭威虽然起兵成功,但是在京城的全部家眷和子侄都被杀了。

柴荣长大后一直跟着养父郭威东征西讨,屡建奇功,他在养父郭威心目中的地位也越发重要。郭威称帝之后三年在皇宫中病死,皇位传给了柴荣。

五代十国时期是中国历史中最黑暗动荡的时期,在五十四年的时间里经历了五个朝代,皇帝的更换就像走马灯一般,各地的起义和战争也从未间断。柴荣即位还不到十天,后汉不甘心自己的统治被后周取代,就与契丹勾结企图推翻柴荣的统治。柴荣不顾大臣的劝阻御驾亲征,沉着应战,最后以少胜多,把后汉的军队打得落花流水。

战争结束后,柴荣对军队中的人赏罚分明,提出"兵务精不务多",下令让各地的将军把战斗力最强的士兵都送到京城,把这些士兵编成了最精锐的禁军来保护京城的安全。在随后的战争中,禁军起到了决定胜负的关键作用。北宋建立后,赵匡胤延续了这种禁军制度,而且禁军始终是北宋王朝实力最强的军队。

柴荣小的时候曾经走南闯北,非常了解民间疾苦,即位之后,他一直努力为百姓减轻负担。下令撤销了正税之外的一切税收,禁止地方官把赋税转嫁到普通百姓身上,就连历代享受优待的曲阜孔氏的特权也被取消了。

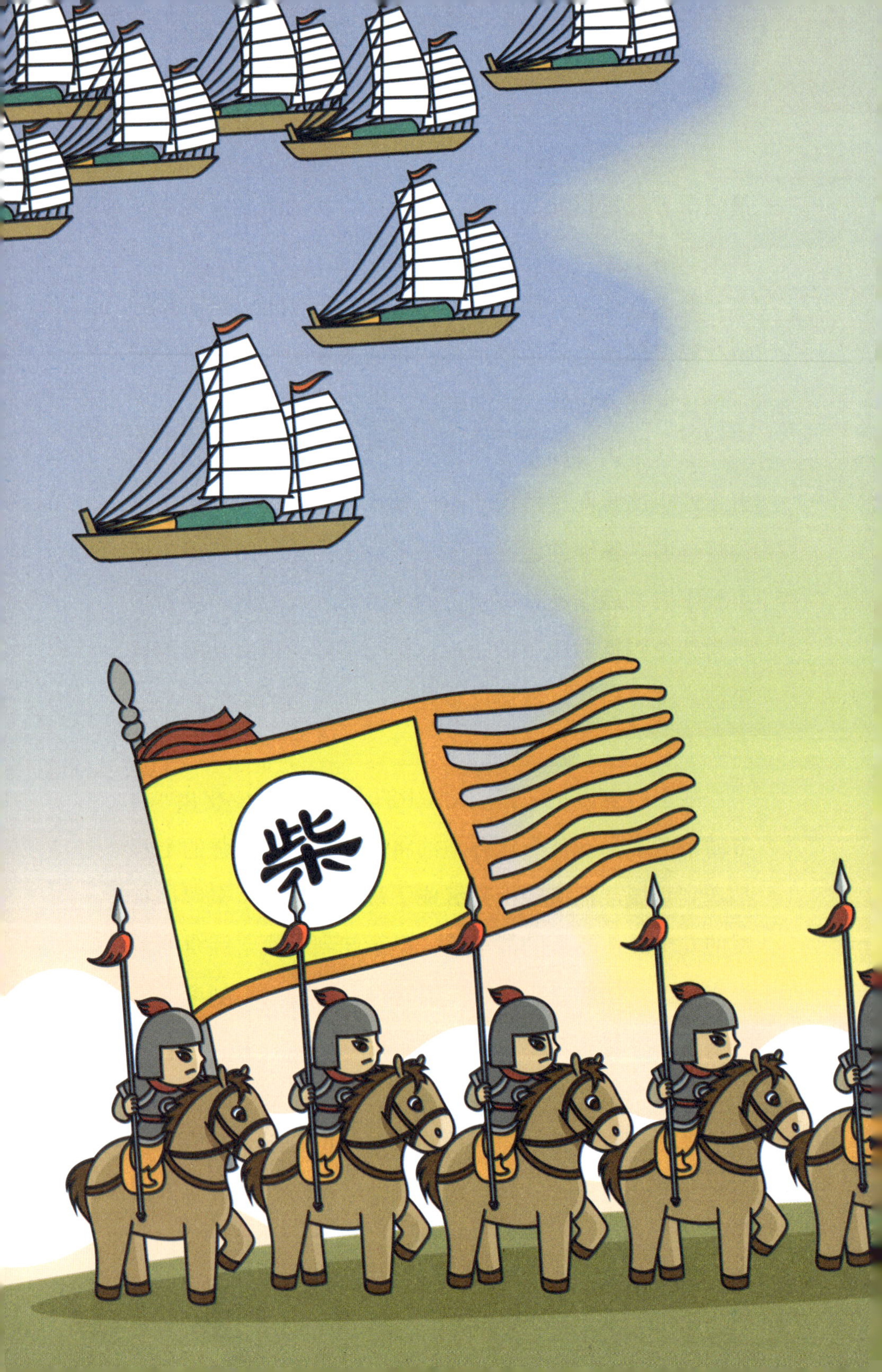
柴

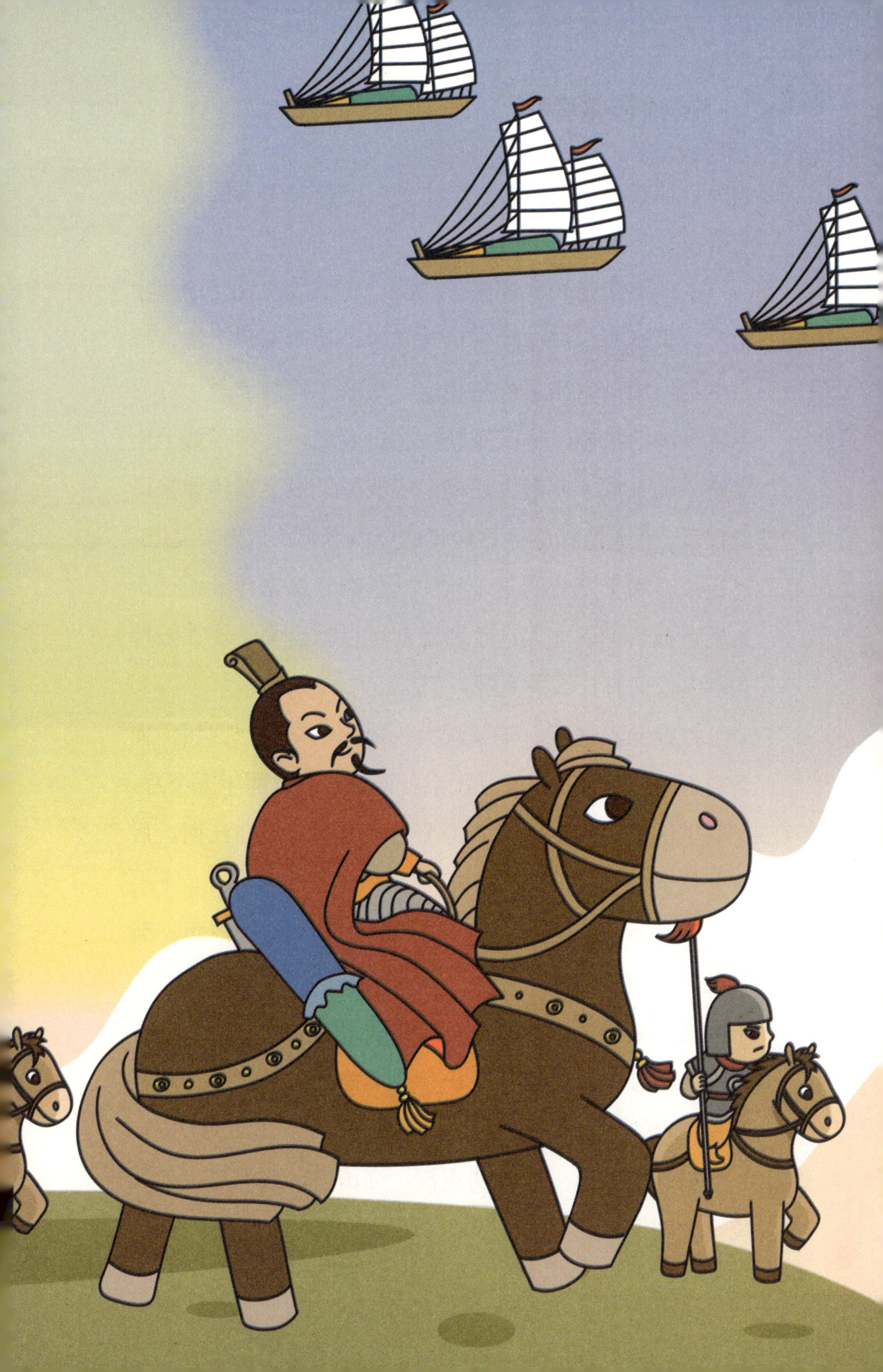

此外，他鼓励百姓开垦新的土地，把没有主人的荒地分配给没有土地的人去耕种。

五代时期佛教非常盛行，人们为了逃避徭役纷纷"出家"，大量的金属被用来铸造佛像，使得铜价上涨，钱币不足。周世宗为了维持稳定，采取了抑制佛教、打击寺院经济的措施。他下令禁止私自剃度，拆掉了数千座寺庙，勒令数十万僧人还俗，还毁掉了很多铜佛像来铸造钱币。有大臣提醒他这样可能会得罪佛祖，柴荣笑道："让社会和平是有利于千秋的功德啊！佛家曾经说过，如果有益于世间之人，手和眼都可以献出来。现在毁掉几座铜像又有什么关系呢？"

打败北汉之后，柴荣派兵伐蜀，一举收回四川，使后蜀不敢轻举妄动。又三次亲征南唐，历时两年五个月，夺取了江淮之间十四州六十个县，逼南唐退守江南。后周大获全胜，国力骤然增强。

就在后周伐唐之际，北汉再次联合契丹南犯。柴荣又一次亲征，四十二天之间，兵不血刃收复三州三关十七县，赢得了五代以来对辽作战最大的胜利。柴荣率领诸将，打算乘胜进军，一举收复幽州。可惜就在这紧要关头，他却突然患病，被迫班师还朝，不久病逝于开封。

周世宗在位五年，清吏治，强国力，疏河道。宋朝统一全国仅仅用了二十年，这是因为周世宗奠定了基础。

"五代第一明君"周世宗

史学家认为柴荣是照亮黑暗历史天空的一颗明星,后人尊称他为"五代第一明君"。

【知识拓展】

赵匡胤:在后汉时投奔枢密使郭威,郭威称帝,建立后周,赵匡胤任禁军军官,周世宗时随征北汉、南唐,屡建战功,升为殿前都点检,成为禁军最高统帅。960年,他发动陈桥兵变,代周称帝,国号"宋",史称宋朝或北宋。